Les
Bambous

Yves Crouzet

Les Bambous

Éditions **Rustica**

© 1999, Éditions Rustica, Paris
Dépôt légal : octobre 1999
ISBN : 2-84038-275-X
N° d'éditeur : 48209

Deuxième tirage : avril 2000

Sommaire

La morphologie du bambou

Les bambous ne sont ni des arbres ni des arbustes mais des herbes. Encore faut-il être prudent en les qualifiant d'herbes, car les bambous qui nous intéressent sont des bambous ligneux, c'est-à-dire dont la tige est dure comme du bois. Il existe aussi des bambous herbacés, donc à tige tendre, mais ils sont essentiellement tropicaux et ne présentent pas d'intérêt horticole reconnu.

> ● *Ne confondez pas roseaux et bambous. Certains comme la canne de Provence sont des parents proches qui appartiennent à la même famille botanique.*

Tous les bambous sont construits selon la même architecture. Un axe principal vertical, la tige ou chaume, d'où partent des branches qui portent les feuilles et parfois les fleurs. Ces chaumes sont insérés sur une tige souterraine, le rhizome, sur lequel se développent des racines.

Le chaume

On nomme « chaume » la tige principale des graminées, cette vaste famille dont font partie tous les bambous, au même titre que le blé, le maïs ou les herbes de nos gazons.

Le chaume est une tige fistuleuse, c'est-à-dire creuse et régulièrement cloisonnée par des membranes rigides en correspondance avec les nœuds. Il arrive cependant, chez certaines variétés, que les chaumes soient pleins. Vus de l'extérieur, ils présentent le même aspect que les autres, mais, si on les coupe au niveau d'un entre-nœud, on ne peut observer la configuration en tuyau caractéristique des chaumes.

On parle parfois de bambous « mâles » pour les différencier des autres bambous dits femelles. Ce caractère lié à l'espèce ou à la variété n'a rien à voir avec le sexe de la plante ou du chaume. D'autant moins que les bambous sont monoïques, c'est-à-dire qu'une même fleur porte des organes reproducteurs mâles et femelles à la fois. Pour ne pas prêter à confusion, il est préférable de parler de bambous à chaume creux ou de bambous à chaume plein, sachant que ces derniers font l'exception. Ainsi, lorsque la description ne mentionne rien à ce sujet, c'est que, d'évidence, le chaume est creux.

Les chaumes sont dépourvus d'écorce et présentent une partie extérieure généralement lisse. Cette partie extérieure est

◀ *Page de gauche. Structure interne d'un chaume. On voit bien ici la tige creuse et régulièrement cloisonnée.*

très dure et très souple, contrairement à la partie interne de la paroi qui est plus tendre, plus rigide et qui casse plus facilement sous la flexion.

Les nœuds

Les nœuds sont les anneaux qui se succèdent plus ou moins régulièrement sur le chaume. Chaque nœud abrite un ou plusieurs bourgeons qui, en se développant, vont donner les branches. Il arrive souvent, dans les parties inférieures des chaumes, que ces bourgeons ne se développent pas et ne soient même plus perceptibles.

Les branches

Les branches sont les ramifications secondaires qui se développent sur les chaumes à partir des nœuds. Elles présentent la même structure cloisonnée que les chaumes et sont elles-mêmes ramifiées.

▲ Les chaumes terminent leur croissance lorsque les branches commencent à se développer.

Le nombre de branches que porte chaque nœud est parfois un élément important pour déterminer le type de bambou. Ainsi le genre *Phyllostachys*, très répandu sous les climats tempérés, se caractérise par la présence de deux branches par nœud. (Il ne faut pas tenir compte des deux ou trois nœuds inférieurs porteurs de branches, car ils n'en ont souvent qu'une.)
À l'extrémité des branches se trouvent les feuilles.

Les feuilles

Les feuilles ont une nervure principale très marquée et des nervures secondaires parallèles, de forme allongée, arrondies à la base et plus ou moins effilées à l'extrémité.
Les feuilles s'insèrent sur l'axe qui les porte au moyen d'un fourreau engainant. Un pétiole très court relie le limbe (partie verte, aplatie et très visible) à ce fourreau. À la jonction du pétiole et du fourreau se situe une excroissance qui peut ressembler à un ongle, la ligule. De part et d'autre de la ligule peuvent se développer des oreillettes parfois ornées de poils. Ces différents éléments, parfois difficiles à voir, sont très utiles pour déterminer la variété.

Un bambou sans feuilles

Glaziophyton mirabile est un bambou originaire du Brésil, non loin de Rio de Janeiro. Sa particularité est d'être dépourvu de feuilles. Ce sont les chaumes qui assurent la fonction chlorophyllienne. Sa découverte est due à un Français, Sébastien Glaziou.

La gaine du chaume

Bien qu'elle ne ressemble pas du tout à une feuille classique, la gaine de chaume possède tous les éléments constitutifs de la feuille. Elle n'a cependant aucun rôle dans la fonction chlorophyllienne – sa fonction est essentiellement protectrice. Elle protège le chaume tout au long de sa croissance – il en a bien besoin car, en sortant de terre, le jeune chaume, alors appelé « turion », est tendre et craquant comme une pomme de terre. C'est à ce stade d'ailleurs que les gourmets l'apprécient.

À chaque entre-nœud correspond une gaine. Elle le protège des coups et des agressions. Aussi a-t-elle besoin d'être dure et coriace, surtout dans la partie engainante qui est le fourreau ; cette partie qui, dans la feuille traditionnelle, est discrète reste ici très visible – c'est d'ailleurs la partie essentielle. L'homologue du limbe n'est souvent qu'un petit appendice triangulaire ou rubané appelé « languette » ou « limbe de gaine ».

▼ *Lorsque l'entre-nœud a terminé sa croissance chez certains bambous, la gaine se détache et tombe.*

Chez la plupart des espèces, les gaines des chaumes tombent lorsque ceux-ci ont terminé leur croissance. Elles ne restent pas très longtemps et il n'est possible de les observer que deux ou trois mois de l'année. Elles constituent, elles aussi, un élément important dans la détermination des espèces. Il n'est pas rare d'avoir recours aux gaines des chaumes pour distinguer deux espèces qui se ressemblent.

La fleur

Il s'agit plutôt d'« inflorescence » car, chez les bambous, les fleurs sont groupées en épis (comme pour le blé ou l'avoine). On ne peut pas vraiment parler de l'aspect décoratif d'un bambou en fleur. C'est même tout le contraire. Lorsque la floraison est importante, la plante prend le plus souvent un aspect souffreteux, les feuilles jaunissent et tombent. C'est alors que les gens appellent le spécialiste… « Au secours ! mon bambou est malade. » Maladie d'amour, pourrait-on dire, puisque, en développant ses fleurs, le bambou va révéler son activité sexuelle et reproductrice. (Le mystère de la floraison est évoqué p. 49.)

Alors que la plupart des fleurs attirent le regard grâce à leurs pétales, chez les bambous, ce sont les étamines qui jouent ce rôle. Jaunes à maturité, elles se balancent au gré du vent qui favorise la dissémination des graines de pollen.

Quelques-unes d'entre elles, assez rares, auront l'honneur de féconder l'ovule pour donner, quelques semaines plus tard, la graine. Graine parfois allongée comme celle de l'avoine, ou parfois renflée comme le blé.

Le rhizome

Le rhizome est une tige souterraine dont la croissance est à tendance horizontale. Il se trouve dans les 30 premiers centimètres du sol, rarement plus profond. Il présente la même structure que le chaume, fistuleux, lui aussi, mais avec un canal plus rétréci, également cloisonné et porteur de bourgeons en principe solitaires au niveau du nœud.

On distingue deux types de rhizomes.

▼ *Chaume de* Phyllostachys pubescens *âgé de 6 semaines.*

Le rhizome leptomorphe

Les entre-nœuds sont longs et minces, la croissance se fait presque exclusivement à l'horizontale (mais il arrive qu'elle se verticalise pour donner un chaume). Dans de bonnes conditions, un tel rhizome peut s'allonger de plusieurs mètres en une saison. (Voir dessin p. 12). Les bambous pourvus de rhizomes leptomorphes sont dits traçants : ils ont tendance à s'étendre en surface.

Le rhizome pachymorphe

Les entre-nœuds sont courts et plus ou moins renflés. La croissance n'est horizontale que sur quelques centimètres. Très vite, l'extrémité du rhizome se redresse vers la surface du sol, qu'il ne tardera pas à percer pour donner un chaume. Les bambous pourvus de

▲ *Portion d'un rhizome à fleur de terre.*

rhizomes pachymorphes restent contenus en touffe serrée, ils ne s'étendent pas en surface comme les traçants. On dit qu'ils sont « cespiteux ». (Voir dessin p. 12).

Les racines

Il existe deux catégories de racines.

Les racines d'amarrage

Directement insérées à la base des chaumes, elles sont parfois partiellement visibles sans qu'il soit nécessaire de dégager le sol au pied du chaume. Elles jouent essentiellement un rôle d'ancrage et de soutien. Sans elles, les chaumes seraient irrémédiablement couchés au sol par le vent.

Les racines assimilatrices

Elles s'insèrent au niveau du rhizome, à la périphérie des nœuds. Guère plus grosses qu'un vermicelle, elles peuvent néanmoins descendre à plusieurs mètres sous terre pour puiser l'eau et les éléments nutritifs indispensables à la survie et au développement de la plante.

La canne de Charlot

La canne du célèbre personnage immortalisé par le prodigieux acteur Charlie Chaplin était en bambou... plus précisément constituée d'un tronçon de rhizome.

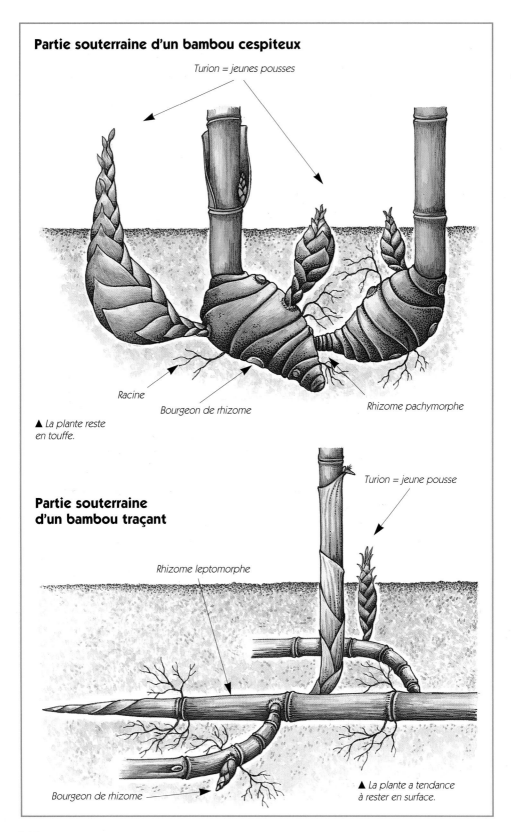

Partie souterraine d'un bambou cespiteux

Turion = jeunes pousses

Racine

Bourgeon de rhizome

Rhizome pachymorphe

▲ La plante reste
en touffe.

Partie souterraine
d'un bambou traçant

Turion = jeune pousse

Rhizome leptomorphe

Bourgeon de rhizome

▲ La plante a tendance
à rester en surface.

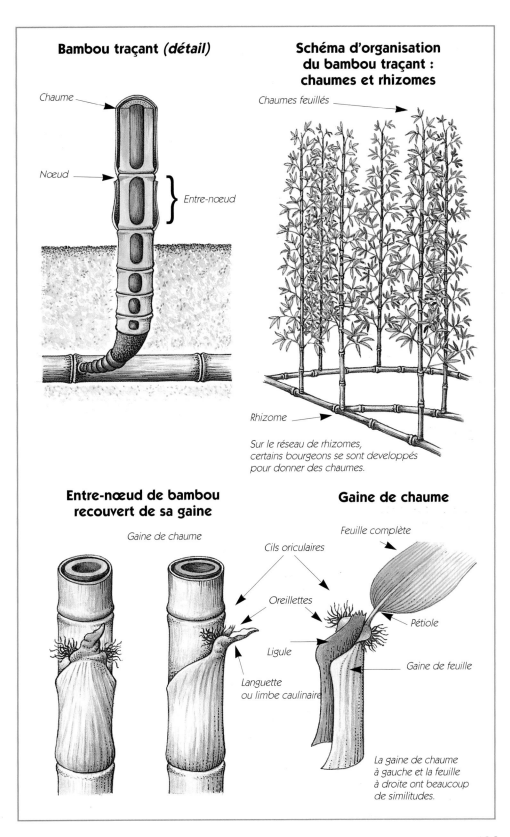

Bambou traçant *(détail)*

Chaume

Nœud

Entre-nœud

Schéma d'organisation du bambou traçant : chaumes et rhizomes

Chaumes feuillés

Rhizome

Sur le réseau de rhizomes, certains bourgeons se sont developpés pour donner des chaumes.

Entre-nœud de bambou recouvert de sa gaine

Gaine de chaume

Cils oriculaires

Oreillettes

Ligule

Languette ou limbe caulinaire

Gaine de chaume

Feuille complète

Pétiole

Gaine de feuille

La gaine de chaume à gauche et la feuille à droite ont beaucoup de similitudes.

La croissance et le développement du bambou

● *Si votre bambou ne se développe pas de façon satisfaisante, c'est souvent dû aux conditions qu'il a rencontrées l'année précédente : manque d'eau ou d'éléments fertilisants par exemple.*

Sous climat tempéré, la plupart des bambous développent leurs chaumes au printemps jusqu'en début d'été. Quelle que soit la taille du bambou, les chaumes se développent en huit à dix semaines. Certaines espèces précoces comme *Phyllostachys pubescens* ou *P. violascens* font pointer leurs premières pousses hors de terre début avril. En juin, les chaumes sont adultes. Couverts de feuilles, ils ne grandiront plus et peuvent rester sur pied de quinze à vingt ans, parfois davantage. Même processus chez les espèces tardives comme *P. bambusoïdes* et *P. viridis,* les premières pousses sortent en juin et sont adultes à la fin de juillet. La chaleur aidant, leur développement est plus rapide.

La croissance fulgurante du bambou

En se développant, les bourgeons situés sur le rhizome peuvent donner soit un nouveau rhizome soit un chaume. Nul ne sait actuellement ce qui détermine le choix. Un bourgeon destiné à donner un chaume aura, dès sa sortie de terre, le diamètre définitif du chaume adulte. La vitesse spectaculaire de croissance s'explique par l'utilisation des réserves contenues dans le rhizome. Ces réserves ont été élaborées par les racines et par les feuilles l'année précédente.

Une croissance par étapes

Un chaume devenu adulte en deux mois ne grandira plus. Cependant, la première année de plantation, un jeune plant de bambou géant ne donnera pas des chaumes gigantesques. En effet, les réserves accumulées par le jeune plant pourvu de deux ou trois chaumes de 80 cm de haut permettront de nourrir deux ou trois turions. Ceux-ci produiront des chaumes de 1,50 m, lesquels accumuleront, à leur tour, des réserves pour produire l'année suivante de nouveaux chaumes, plus nombreux et plus grands, et ainsi de suite jusqu'à la taille adulte propre à l'espèce au regard des conditions locales. Cette taille est atteinte, en partant d'un petit plant

◄ Page de gauche. Ambiance exotique d'un sous-bois de bambous géants.

Le bambou améliore le sol

Le bambou améliore les terres trop compactes. Les bambous traçants développent leurs rhizomes en tous sens dans la couche superficielle du sol. Au fur et à mesure qu'un rhizome se développe, sa partie la plus âgée dépérit et laisse dans le sol un boyau humifère très bénéfique à l'évolution du sol.

▶ *Chaumes de* Phyllostachys *à maturité.*

en conteneur de 3 à 7 litres, en quatre à cinq ans pour un bambou moyen et en sept à dix ans pour un bambou géant. Ainsi, bien que le bambou pousse très vite, pour avoir un effet immédiat de grand bambou, on peut être conduit à planter des conteneurs de gros volume avec des chaumes déjà élevés. Sinon, il faut faire preuve de patience et attendre chaque année la sortie des chaumes plus grands que ceux des années précédentes.

Croissance et développement des bambous

Première année : chaumes déjà développés lors de la plantation.

Deuxième année : chaumes développés l'année suivant la plantation.

Troisième année : chaumes développés 2 ans après la plantation.

Quatrième année : chaumes développés 3 ans après la plantation.

Différentes hauteurs

Dans une plantation récente (quatre ou cinq ans), les chaumes les plus âgés sont les plus petits et, réciproquement, les chaumes les plus jeunes sont les plus grands. Dans une plantation adulte, les chaumes sont sensiblement tous de même hauteur et de même diamètre. Ainsi un chaume de trois mois a la même taille qu'un chaume de quinze ou vingt ans.

▶ Semiarundinaria fortuosa *avant la chute des gaines. Celles-ci tombent en juin.*

▶ *Page de droite. Jeunes pousses de* Phyllostachys pubescens *âgées de quelques jours. Les jeunes pousses témoignent du caractère traçant de cette espèce. Leur suppression systématique suffit pour décourager les velléités d'expansion de la plante.*

Le sol

Le sol idéal pour le bambou est un sol légèrement acide ou neutre, riche en éléments nutritifs et matières organiques, frais et filtrant, dépourvu de cailloux.

Cependant, on peut rencontrer des bambous sur des sols alcalins, relativement pauvres, pierreux et peu filtrants, ce qui illustre la faculté d'adaptation de ces végétaux. En fait, les seuls sols totalement contre-indiqués aux bambous sont les sols marécageux ou hygromorphes, c'est-à-dire qui ont tendance à garder l'eau.

Le bon pH pour les bambous

● Faites tous vos amendements avant la plantation. La présence des rhizomes dans la couche superficielle du sol interdit tous les travaux. Faites par la suite les nouveaux apports de fumier, engrais, chaux en surfaçage.

Le pH du sol pour convenir aux bambous doit être situé entre 6 et 7,2. Cela ne veut pas dire qu'en dehors de ces valeurs les bambous ne poussent pas, ils ont seulement plus de difficultés à bien pousser. Il faudra donc s'attacher, dans la mesure du possible, à ramener le pH de votre sol s'il s'en écarte trop aux valeurs souhaitables.

Pour un sol trop acide, c'est-à-dire à pH inférieur à 6, l'apport de chaux est le meilleur moyen de le relever.

Il est en revanche plus difficile d'abaisser un pH trop élevé. Par l'apport de tourbe blonde à la plantation, l'incorporation au sol d'un compost acide et l'utilisation d'engrais acidifiants on peut ramener le pH à une valeur convenable.

Dans le cas d'un sol à pH trop élevé, il faudra privilégier les espèces les plus tolérantes comme par exemple *Phyllostachys flexuosa, P. fimbriligula*.

Les qualités du sol

Si votre sol a tendance à craqueler en surface en séchant, devenant très dur lorsqu'il est sec et collant aux outils lorsqu'il est humide, cela veut dire qu'il est très argileux. Il ne faut pas se plaindre de la présence d'argile dans un sol car son rôle est essentiel dans la bonne croissance des végétaux et particulièrement des bambous. Cependant, une teneur excessive en argile peut entraîner en période de pluie des asphyxies de racines. En période de sécheresse, les fentes de retraits peuvent aller jusqu'à sectionner les racines superficielles. Il faut donc combattre ces effets nocifs par des apports de sable grossier et, selon le pH, apporter de la tourbe s'il est élevé et de la chaux s'il est trop bas. La chaux non seulement remontera le pH mais rendra les argiles plus perméables.

Dans certaines régions, on peut rencontrer des sols salés, souvent en bord de mer mais parfois à l'intérieur des terres. Les sols sont très sélectifs, seuls les végétaux halophytes y prospèrent. Les bambous n'y trouveront donc pas leur place. Les variétés prétendues le mieux résister au sel sont : *Phyllostachys vivax*, *P. flexuosa* et *Pseudosasa japonica*.

Bien connaître le sous-sol

Il est toujours intéressant de connaître le sous-sol. Cela permet d'imaginer comment va évoluer l'eau et vont se comporter les racines. Ainsi il est fréquent de rencontrer, sous la couche arable, une couche d'argile. Cette configuration peut être bénéfique sous un climat relativement sec, car l'argile retiendra l'eau pour la mettre à disposition des racines. Elle peut en revanche se révéler désastreuse en climat humide ou par suite d'excès d'arrosage en provoquant l'asphyxie des bambous. Dans ce dernier cas, si l'argile n'est pas trop épaisse et si elle repose sur une couche drainante, il y aura intérêt à la percer de part en part pour permettre l'évacuation de l'eau en excès.

Si un sol reste saturé d'eau plus de dix à quinze jours, il est impropre à la culture des bambous, à l'exception cependant de quelques rares espèces qui s'accommodent de terrains marécageux comme *Arundinara gigantea*. Il faut soit renoncer aux bambous à cet emplacement, soit procéder au drainage du terrain. Si le risque d'asphyxie n'est pas très important, on peut se contenter de planter le ou les bambous en butte, c'est-à-dire sur monticule de terre, sachant que les rhizomes risquent de dépérir dans la zone saturée d'eau.

▶ *Paillage à l'écorce de pin dont les effets sont triples : obstacle aux mauvaises herbes, maintien de l'humidité, enrichissement du sol en humus.*

Le climat et l'exposition

La diversité des bambous est telle qu'il n'existe pas de climat idéal qui puisse convenir à toutes les espèces. Mais on peut dégager les grandes lignes des facteurs favorables à la plupart d'entre elles. La température est souvent déterminante. Ainsi, sous climat tempéré à hiver froid, aucun bambou tropical n'aura de chance de survivre. Sous climat tempéré à hiver doux, certains bambous tropicaux pourront être essayés avec succès (*Bambusa multiplex, B. ventricosa, B. oldhamii*). Sous climat tropical, beaucoup d'espèces de régions tempérées ne parviendront pas à se développer correctement, surtout celles qui ont besoin d'un ralentissement végétatif induit par le froid.

Les étés très chauds en zone tempérée peuvent ne pas être du goût de certains *Fargesia* et de certains *Chusquea* qui préfèrent l'air frais de la montagne ou l'influence bénéfique d'une brise marine (*Fargesia nitida, F. murielae, Chusquea culeou*).

Les jeunes plants de bambou sont sensibles au froid, surtout ceux qui sont issus de semis, d'où l'intérêt de leur fournir une protection les premiers hivers.

Protéger les jeunes plants

La température est probablement l'élément sur lequel le jardinier ne peut agir à bon marché. Réchauffer l'atmosphère est toujours très coûteux en installation et en énergie. Il vaut mieux bien penser dès le départ à l'exposition et à la protec-

◀ *Page de gauche.*
Phyllostachys viridis 'Youngii' sous la neige à Anduze.

▶ *Bambusa multiplex après le gel (- 13 °C). Ici les dégâts ne portent que sur une partie du feuillage. Au printemps suivant il n'y paraîtra plus.*

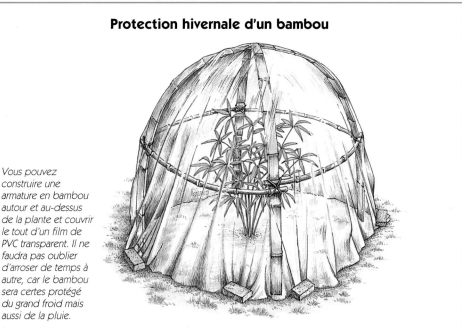

Protection hivernale d'un bambou

Vous pouvez construire une armature en bambou autour et au-dessus de la plante et couvrir le tout d'un film de PVC transparent. Il ne faudra pas oublier d'arroser de temps à autre, car le bambou sera certes protégé du grand froid mais aussi de la pluie.

tion des plants. Si le sol risque de geler en profondeur, il faudra choisir une exposition sud et bien pailler le pied du jeune bambou les deux ou trois premiers hivers. La partie aérienne peut être abritée à l'aide d'une toile de protection légère, simplement posée sur le feuillage et attachée autour des chaumes. Cet habillage n'est pas du plus bel effet esthétique, mais permet de gagner quelques degrés en rusticité.

Arroser en hiver

En général, les pluies d'hiver et l'eau stockée dans le sol suffisent à combler les besoins en eau des bambous plantés en pleine terre. Mais il peut arriver, certains hivers très secs, que vos bambous manquent d'eau. Certains y sont très sensibles tel *Phyllostachys nidularia*. Il semble qu'il puisse résister à – 18 °C, mais il peut par – 10 °C beaucoup souffrir s'il manque d'eau et, parallèlement s'il souffle un vent fort et sec. Par très basse température, le sol peut geler et ne plus permettre au bambou d'y pomper l'eau (devenue glace) nécessaire à sa survie. La plante meurt alors de soif et non de froid. Le phénomène est plus fréquent en pot qu'en pleine terre (cf. Les bambous cultivés en pot, p. 71).

La résistance d'un bambou au froid est souvent liée à des problèmes d'eau. Ainsi peut-on augmenter cette résistance en pulvérisant préventivement sur le feuillage un antitranspirant à base de glycérine (méthode préconisée par Adam Turtle).

◄ *Double page précédente.*
Dendrocalamus sinicus.
Un bambou tropical particulièrement impressionant réservé aux pays chauds.

Les effets du froid sur les bambous

Les dégâts occasionnés par le froid se répartissent en cinq stades :

● Premier stade

Seules quelques feuilles sont détruites, parfois simplement celles de la partie supérieure ou les feuilles de certains chaumes. L'agression est sans gravité.

● Deuxième stade

Toutes les feuilles sont détruites, mais les bourgeons ne sont pas atteints. L'ensemble de la plante sera un peu affecté dans sa vigueur. Dès les premiers beaux jours, un nouveau feuillage se développe. Dès lors, aucune trace du froid ne subsiste.

● Troisième stade

Certains bourgeons sont détruits, parfois des chaumes entiers (généralement les plus jeunes) vont dépérir. Au printemps, le feuillage ne sera que partiellement renouvelé et la vigueur générale de la plante s'en ressentira.

● Quatrième stade

La totalité de la partie aérienne est détruite, mais la partie souterraine est préservée. Il y a alors intérêt à couper tous les chaumes. Au printemps, de nouvelles pousses apparaissent, mais donneront des chaumes de diamètre et de taille inférieurs à ceux qui préexistaient. À moins que le gel total des chaumes ne soit systématique chaque hiver – auquel cas les nouveaux chaumes seront de taille identique aux précédents –, ils dépasseront rarement 3 à 4 m de hauteur.

● Cinquième stade

La partie aérienne et la partie souterraine sont détruites par le froid. Il n'y a plus aucun espoir de régénération.

Le rôle de la pluie

La pluie joue un rôle essentiel dans le bon développement des bambous. Son rôle devient moindre si les plantes disposent en permanence d'une réserve où puiser (nappe phréatique suffisamment proche, bord de rivière ou plan

▼ *Jeune pousse détruite par le froid (- 7 °C). Elle ne s'en remettra pas.*

Des pandas nourris aux bambous des Cévennes

Sans bambou, le panda ne peut survivre. Le panda géant, emblème de la Fondation internationale de sauvegarde de la nature (WWF), a besoin de sa ration quotidienne de bambou (une vingtaine de kilos), sans quoi il ne peut digérer les autres aliments qu'il absorbe (miel, œufs, viande…) et meurt.

Tous les quinze jours, la bambouseraie de Prafrance expédie un camion frigorifique de bambous au zoo de Berlin pour nourrir les pandas géants.

d'eau), ou, bien sûr, si l'arrosage vient suppléer son absence. Le bambou étant une plante à feuillage persistant, il n'y a pas de saison durant laquelle il puisse se passer d'eau. Bien évidemment, en période de ralentissement végétatif, l'hiver, les besoins en eau sont moindres. En revanche, lors de la sortie des nouvelles pousses ou lors des chaudes et sèches journées d'été, la demande sera bien supérieure.

Il faut aussi parler de l'eau contenue dans l'air, ce que l'on appelle l'hygrométrie et qui s'exprime en pourcentage de vapeur. La plupart des bambous se délectent d'une hygrométrie à 80 %, s'accommodent d'un 60 %, tolèrent à peine 50 % et font piètre figure à 40 %. Il y a, bien sûr, des exceptions, tel *Dendrocalamus strictus*, un tropical dont les réactions sont quasi inverses.

Les effets de la neige

Sur le plan esthétique, la neige sied à merveille aux bambous, mais elle peut malheureusement occasionner de sérieux dommages, tout particulièrement lorsqu'elle est lourde et abondante. Voici les trois conditions que tout possesseur de bambous doit souhaiter ne jamais voir réunies :

1. Un ciel très chargé, annonciateur de fortes précipitations.
2. Une température de zéro degré (la neige est lourde et collante).
3. Une absence de vent (parfois le moindre souffle suffit à agiter les chaumes et à les délester de la lourde charge de neige qu'ils accumulent).

Une telle neige laisse indifférents les bambous nains et les petits bambous. Tout au plus seront-ils momentanément aplatis, mais ils retrouveront leur forme après la fonte de la neige. En revanche, les bambous moyens et les bambous géants risquent, sous le poids, de briser leurs chaumes, parti-

● *Un bambou trop chargé de neige risque de se casser ou d'être arraché. Secouez les chaumes pour libérer la surcharge.*

culièrement les plus jeunes. Parfois un ensemble de chaumes peut basculer jusqu'à rompre les racines d'ancrage, ce qui signifie qu'il n'y aura pas retour à la position verticale et qu'il faudra tout couper à ras dans la zone endommagée.

Action préventive

Pour accroître la résistance à la surcharge neigeuse, il est utile de rassembler, au moyen d'une corde, de huit à douze chaumes voisins et de constituer ainsi une gerbe sur pied.

Action curative

Elle doit être mise en œuvre dès le fléchissement important des chaumes : les chaumes, secoués un à un, seront déchargés de leur neige et se redresseront. Il faudra recommencer l'opération autant de fois que nécessaire.

Ce tableau quelque peu alarmiste ne doit pas faire croire qu'il y a incompatibilité entre le bambou et la neige. Il arrive même qu'ils aillent de pair. Ainsi, en Chine, les zones qui abritent les pandas géants, ces grands amateurs de bambous, sont des zones d'altitude qui ne connaissent pas d'hiver sans neige.

Attention au vent

▼ Les jeunes pousses sorties en périphérie des massifs sont plus sensibles aux gelées tardives.

Si les bambous peuvent constituer d'excellents brise-vent, il ne faudra pas en conclure qu'ils aiment la bise. Il suffit pour s'en convaincre de planter un jeune bambou isolé dans un endroit très exposé aux vents. À force d'obstination et de patience, il parviendra probablement à s'implanter, mais au prix de bien des souffrances. Une fois installé, c'est-à-dire après avoir développé suffisamment de chaumes, il aura créé une autoprotection : les chaumes feuillés de première ligne protégeront ceux de l'intérieur et assureront aux nouvelles pousses un développement sans entrave.

Si le terrain destiné à recevoir des bambous est très exposé au vent, on peut favoriser leur implantation en les protégeant par un brise-vent artificiel. Ce dernier pourra être supprimé deux ou trois ans après, lorsque les bambous s'autoprotègent. Dans le cas d'une plantation importante, les premières lignes exposées au vent seront plantées le plus densément possible pour accélérer le processus d'autoprotection.

Le choix des bambous

La diversité des bambous est telle que le choix n'est pas toujours facile à faire. Sauf, mais peut-on parler de choix, lorsque le vendeur n'a que deux ou trois espèces à proposer. Sans parler des cas malheureusement encore fréquents où sont vendus sous le nom de bambou des végétaux qui n'en sont pas (*Miscanthus*, *Pogonaterum*, *Phalaris*, par exemple).

> ● *Choisissez de préférence un bambou moins attirant mais copieusement fourni en rhizomes et racines, plutôt qu'un bambou séduisant mais faiblement pourvu en rhizomes et racines. Il donnera de plus jolies pousses que le premier.*

La première question à se poser est celle-ci : quelle doit être la taille de mon bambou adulte ? La réponse déterminera la catégorie. Moins de 1,50 m, ce sera un nain. Entre 1,50 m et 3 m, un bambou petit. Au-delà, sans pour autant faire trop d'ombre, un bambou moyen. Si l'on désire un bambou le plus grand possible, il faudra choisir parmi les géants.

Le deuxième critère pourra être la rusticité, c'est-à-dire la résistance au froid, surtout si le projet est de se limiter à deux ou trois espèces. Dans ce cas, il vaut mieux jouer la sécurité et opter pour les espèces les plus rustiques. Si la palette est plus large, il est intéressant, voire excitant, de choisir quelques espèces « limites ». On aura la satisfaction certains hivers de les voir traverser les frimas sans encombre.

D'autres critères seront d'ordre esthétique au niveau du feuillage ou des chaumes, souvent des deux.

Reconnaître un bambou de qualité

La plupart des végétaux d'ornement s'apprécient surtout par le port et l'aspect de la partie aérienne. Pour les bambous, cette appréciation, si elle compte, n'est pas suffisante. Il faut tout autant, si ce n'est davantage, porter attention à ce que cache le pot.

La partie aérienne

La partie aérienne – et tout particulièrement les feuilles – doit être exempte de parasites : pucerons, cochenilles, acariens. Sa couleur verte doit être franche et soutenue. Un jaunissement peut être le signe d'un déficit alimentaire ou d'une chlorose. Le printemps est une saison délicate pour juger du bon état sanitaire, car la plupart des bambous renouvellent leur feuillage. Ils sont donc souvent partiellement dégarnis, et

◀ Page de gauche.
Sur le bambou, les pousses latérales se développent au niveau des nœuds.

▲Parcelle de pépinière.
C'est dans les réserves
accumulées par les
rhizomes dans le pot
que réside le succès
de la plantation.

encore porteurs de vieilles feuilles jaunissantes, parfois partiellement desséchées ou abîmées sur les bords. Cet aspect peu engageant est néanmoins normal et ne justifie pas de rejeter la plante.

À ce stade-là, l'observation doit surtout porter sur les bourgeons qui vont développer les futures feuilles. Ils doivent être nombreux et allongés, signe d'une bonne vitalité.

La partie souterraine

La partie souterraine, c'est tout ce que cache le pot. Si la plante se dépote aisément, il faut vérifier que les racines et les rhizomes sont suffisamment denses pour assurer un développement satisfaisant des futures pousses.

Si la plante se dépote difficilement, c'est généralement bon signe : la densité de rhizomes et de racines est telle que la pression qu'ils exercent sur les parois du pot fait obstacle au dépotage.

▶ Page de droite.
Un jardin de bambous vient
tout juste d'être planté.
Pour une réussite totale,
il faudra être vigilant en ce
qui concerne l'arrosage.

Si le pot est boursouflé par les rhizomes ou éclate sous leur poussée, c'est, comme le dit Ian Connor dans *Newsletter ABS* (publication trimestrielle de l'*American Bamboo Society)*, « la cerise sur le gâteau, car de vigoureux rhizomes sont plus importants que de belles tiges ». C'est donc plutôt vers ce type de plant que doit porter votre choix.

La plantation

La meilleure période pour planter un bambou se situe d'août à novembre. C'est la période durant laquelle les bambous développent rhizomes et racines. La terre, réchauffée par le soleil estival, est plus propice au développement souterrain qu'elle ne l'est en hiver ou au printemps.

● *Arrosez bien le pot avant la plantation. N'hésitez pas si possible à immerger la motte dans un bassin ou un baquet d'eau.*
● *Arrosez à nouveau après avoir planté pour, d'une part, éviter que la terre en place ne pompe l'eau de la motte, d'autre part, pour mieux faire descendre la terre au contact de la motte.*

C'est en été et en automne que les bambous s'installeront en pleine terre avec le plus de succès. Pourtant les autres saisons ne sont pas totalement à exclure, car il est vrai qu'un bambou produit en conteneur pourra être transplanté toute l'année.

La période de sortie et croissance des jeunes pousses est délicate pour manipuler et replanter un bambou. Cette période, qui dure de huit à dix semaines, se situe généralement de mi-avril à mi-juin.

Au printemps, les jeunes pousses sont tendres et fragiles. Les risques de casse sont importants lors des manutentions et des transports. De plus, la plantation se fait dans un sol encore froid, peu propice au bon développement des racines.

Enfin, c'est aussi la période de renouvellement du feuillage : la plante ne se présente pas sous son meilleur aspect, elle sera moins séduisante à l'étalage de la jardinerie et il sera beaucoup moins facile de convaincre les non-connaisseurs de son intérêt décoratif.

◀ *Page de gauche. Plantation d'un Phyllostachys. Pour certains gros sujets, la manipulation délicate nécessite au moins deux personnes.*

▶ *Arundinaria fortunei en conteneur de 3 litres prêt pour la plantation, tel qu'on peut le trouver en jardinerie…*

Planter un bambou cultivé en conteneur

Les bambous produits en pépinière sont cultivés en conteneurs, c'est-à-dire en pots de matière plastique, généralement de section ronde, parfois carrée. Avant la mise en pleine terre, le pot doit être copieusement arrosé. L'idéal est d'immerger la motte dans l'eau jusqu'à ce que plus aucune bulle d'air ne s'en échappe.

Le trou de plantation devra représenter environ 20 fois le volume du conteneur si le terrain est dur et deux à trois fois seulement si le terrain a préalablement été ameubli.

Du fumier bien décomposé sera incorporé à la terre pour un volume équivalent à celui du conteneur. Sinon, on enfouira un engrais complet organique aux doses prescrites par le fabricant en prenant pour référence qu'un bambou en conteneur inférieur ou égal à 15 litres a les mêmes besoins qu'un jeune arbre. Un bambou en conteneur de plus de 15 litres a les mêmes besoins qu'un arbre adulte. Le bambou une fois dépoté (il peut être nécessaire de découper le conteneur en veillant à ne pas mutiler racines et rhizomes) sera disposé dans le trou de plantation de telle sorte que la partie supérieure de la motte affleure au niveau définitif du sol. En rebouchant le trou, on veillera à confectionner un bourrelet de terre tout autour de la plante pour constituer une cuvette

▼ *Compost ou fumier de ferme sont incorporés au sol lors de la plantation.*

► *Le niveau supérieur*
de la motte doit affleurer
le niveau définitif du sol.

dont le fond sera la motte sortie du pot. Ce détail est important, car une cuvette trop large risquerait de conduire l'eau
d'arrosage à travers le terrain meuble qui entoure la motte,
donc sans humidifier cette dernière et peut compromettre la
bonne reprise. Grâce à cette cuvette, la plante sera copieusement arrosée.

● *Incorporez*
de la fumure
de fond à la terre
qui est au fond
du trou mais aussi
à celle venant
se rajouter autour
de la motte.

Ce principe de plantation est identique pour tous les bambous. Dans le cas de gros sujets, c'est-à-dire pour des conteneurs de volume supérieur à 30 litres et des hauteurs de
chaume dépassant 4 à 5 m, il est prudent de prévoir un
tuteurage qui évitera à la plante de basculer en cas de vent.
Si plusieurs bambous sont plantés en massif, l'ensemble des
principaux chaumes peut être relié en un maillage de perches
en bambous horizontaux, situé aux deux tiers de la hauteur.
Cette structure est non seulement efficace mais aussi très
décorative.

▲ Un copieux arrosage est nécessaire pour assurer un bon taux d'humidité mais aussi pour stabiliser le sol et faire descendre les éléments fins au contact des racines.

● *Au cours des 3 ou 4 semaines qui suivent la plantation, arrosez !*
● *Sol bien drainé : apportez de l'eau en abondance.*
● *Sol non filtrant et mal drainé : veillez à ne pas saturer d'eau.*

Dans le cas de chaumes dépassant 8 ou 10 m, la meilleure solution consiste à haubaner les chaumes aux deux tiers de leur hauteur.

Pour éviter le désherbage ou tout au moins le limiter, la plantation doit être suivie de l'application en surface d'un anti-germinatif ou d'un paillage. Il est même recommandé d'associer les deux. Une couche de 5 cm d'écorce de pin suffit généralement à décourager la plupart des adventices. L'utilisation de film plastique est à proscrire, car il entrave le bon développement des jeunes pousses.

Si l'hiver risque d'être rude, le paillage devra être renforcé pour constituer une véritable couche isolante au pied des chaumes. Par la suite, les bambous entretiennent eux-mêmes un paillage naturel constitué par leurs propres feuilles qui, tombées au sol, ne doivent pas être ramassées.

La multiple efficacité du paillage

– Il limite le développement de l'herbe sans nuire à la sortie des jeunes pousses.

– Il protège la partie souterraine des grands froids.

– Il maintient la fraîcheur du sol et réduit les arrosages.

– Il enrichit le sol en humus par décomposition progressive.

La plantation du bambou

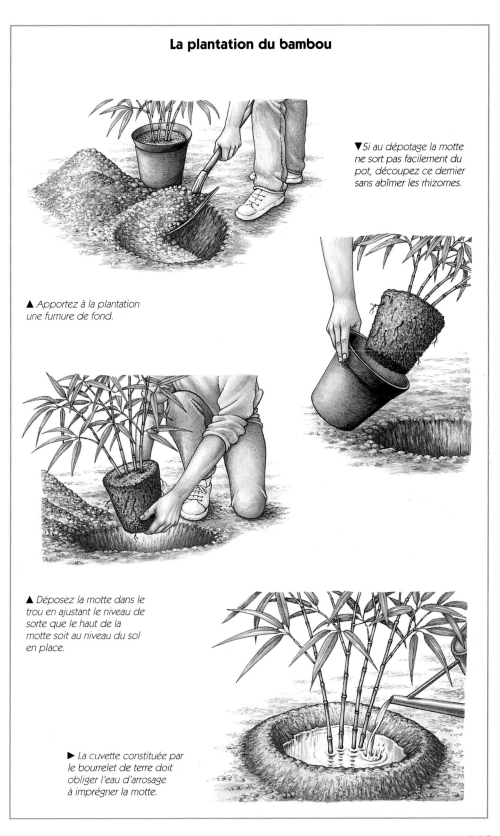

▼ *Si au dépotage la motte ne sort pas facilement du pot, découpez ce dernier sans abîmer les rhizomes.*

▲ *Apportez à la plantation une fumure de fond.*

▲ *Déposez la motte dans le trou en ajustant le niveau de sorte que le haut de la motte soit au niveau du sol en place.*

▶ *La cuvette constituée par le bourrelet de terre doit obliger l'eau d'arrosage à imprégner la motte.*

'entretien

Dans tout parc ou jardin, le coin des bambous, s'il est correctement entretenu, sera l'un des plus attractifs. En revanche, s'il est négligé pendant plusieurs années, il peut devenir chaotique, inhospitalier, voire franchement hostile. Principales opérations d'entretien : l'arrosage, la fertilisation et la taille.

L'arrosage

● Préférez l'arrosage manuel à l'arrosoir ou à l'aide d'un tuyau souple. Il nécessite du temps et une longue expérience mais permet de mieux estimer les besoins de la plante.

Dans certaines régions, en raison de la fréquence et de la bonne distribution des pluies, les bambous se contentent d'être arrosés par le ciel. Parfois, même sous climat peu favorable, la présence d'eau dans le sous-sol permet de ne pas se préoccuper de l'arrosage. En revanche, dans les zones où la sécheresse peut sévir, il est prudent de prévoir un moyen d'arroser les bambous.

Parmi les nombreux systèmes d'arrosage, nous ne retiendrons que les plus courants, le goutte-à-goutte et l'aspersion.

Le goutte-à-goutte convient parfaitement pour une plantation linéaire (haie ou bordure) ou en jardinière. L'aspersion, mieux adaptée pour les plantations groupées, peut se faire indifféremment sur frondaison ou sous frondaison.

Il est préférable de faire des apports d'eau copieux et peu fréquents plutôt que des apports faibles et répétés. Ces derniers ont tendance à maintenir le système racinaire en surface et rendent les plantes plus sensibles à la sécheresse.

◀ *Page de gauche.*
Le bambou s'associe très bien avec l'eau et le minéral. L'humidité des berges permet de limiter l'arrosage.

▶ *Quand le bambou a soif, il roule ses feuilles. Arrosez-le immédiatement, peu de temps après, il les redéploiera.*

L'hiver, période de ralentissement végétatif, il n'est généralement pas nécessaire d'arroser. Cependant, s'il ne pleut pas, on peut être conduit à arroser : les bambous se porteront mieux et résisteront davantage aux grands froids.

La fertilisation

Il n'est pas indispensable de fertiliser régulièrement les bambous. Dans la nature ou dans certains parcs anciens, ils trouvent dans le sol les éléments nutritifs nécessaires à leur développement. Mais, dans ces conditions, ils atteignent rarement leur taille optimale.

Un complément alimentaire est nécessaire pour stimuler la végétation. Les bambous sont particulièrement gourmands en azote du mois de février à l'été. Le premier apport d'engrais (de type 10-5-5) se fera en février-mars, le second en juillet-août.

Un apport de fumier bien décomposé, qui peut remplacer avantageusement l'engrais complet, se fera en hiver, en simple épandage, car il ne pourra être enfoui à cause des rhizomes qui tapissent le sol.

Il ne faut pas perdre de vue que l'efficacité de la fertilisation se fait surtout sentir l'année suivante sur le nombre et le calibre des nouvelles pousses. C'est probablement cet élément qui a échappé aux jardiniers d'antan et qui explique que d'anciens traités de jardinage déconseillent la fertilisation des bambous, qu'ils estiment sans effet.

▼ *Les bambous nains faisant office de pelouse viennent d'être tondus.*

La taille d'entretien

● *Pratiquez une taille d'éclaircissage par suppression des chaumes les plus vieux.*

Le fait que, chaque année, de nouvelles pousses viennent accroître la densité des chaumes implique qu'il est nécessaire, à un moment ou à un autre, de couper tout ou partie des chaumes. Dans le cas des bambous nains, cette taille, que l'on peut qualifier de rajeunissement, consiste à tout couper, souvent au ras du sol.

Il faut utiliser un taille-haie (cisaille manuelle ou mécanique), une tondeuse ou une débroussailleuse. L'opération doit être faite avant la sortie des nouvelles pousses et avant le renouvellement des feuilles, donc dans le courant de mars. Un apport d'engrais après la coupe stimulera le redémarrage.

Pour les autres bambous, le fait de tout couper entraîne une perte de vigueur telle que les nouvelles pousses seront plus petites que celles qui ont été supprimées. Il faut donc procéder ainsi uniquement si la hauteur des chaumes à tailler est trop importante par rapport à ce que l'on souhaite.

Quand la plantation est récente, il est facile de reconnaître les plus vieux chaumes, puisque ce sont les plus petits. Mais, lorsque la plantation est adulte, tous les chaumes ont sensiblement la même taille, et il faut une certaine habitude pour déterminer leur âge. Le moyen le plus sûr, mais qui demeure assez fastidieux, consiste à marquer au moyen d'une peinture à l'épreuve du temps chaque chaume l'année de sa sortie : une couleur, un chiffre, ou un signe caractéristique du millésime, aussi discret que possible mais suffisamment visible pour pouvoir, quatre ou cinq ans plus tard, le repérer pour la coupe.

▼ *Un mois après la tonte. Le feuillage s'est largement développé. Les tiges vont gagner encore quelques centimètres avant d'arrêter leur croissance.*

▶ *Taille d'égalisation. Elle consiste à tailler la pointe des tiges trop hautes de fin juin à mi-juillet.*

▶ *Page de droite.*
Taille de formation. Elle se pratique lorsque les jeunes pousses ont terminé leur croissance et n'ont pas encore développé leurs feuilles. Ici sur Phyllostachys.

▼ *Taille de formation.*
Les jeunes pousses sont taillées avant que se développent les feuilles. Ici fin juin sur Shibataea Kumasaca...

Comment reconnaître l'âge d'un chaume ?

● Par la couleur du chaume car, au sein d'une même variété, la couleur évolue avec l'âge. Mais l'exposition à la lumière modifie la couleur, ce qui vient compliquer la tâche.

● Par le son qu'émet le chaume lorsqu'il est heurté par un objet dur. Cela permet de distinguer les chaumes jeunes et les vieux. De là à dire que l'on peut déterminer l'année, c'est une autre affaire.

● Par l'observation des rameaux feuillés en comptant le nombre de cicatrices que laissent les feuilles en se détachant du rameau. Le problème est que les feuilles restent parfois plus d'une année, sans compter que les frondaisons ne sont pas toujours accessibles.

Taille de formation d'un jeune chaume

◀ ▶ *La taille des branches permet de densifier le feuillage près du chaume. La croissance est terminée mais les feuilles ne sont pas encore développées.*

▲ Taille d'égalisation à la cisaille. Sur bambous nains, il ne faut pas tailler au-delà du mois de juillet car les nouvelles feuilles résisteront mal au froid de l'hiver.

▶ La taille de formation qui intervient en fin de croissance des jeunes pousses peut être suivie un mois après d'une taille d'égalisation dite aussi taille de rafraîchissement.

Calendrier des soins : description des travaux

La plantation

En traits pleins : la meilleure période. En tirets : période sans contre-indication majeure. En pointillés : attention au froid en hiver et aux jeunes pousses au printemps.

L'élimination des chaumes secs

La plupart des chaumes en fin de vie se dessèchent l'été. C'est donc à la fin de cette saison ou en début d'automne qu'il faut les éliminer. Les autres interventions seront facilitées et l'aspect général aura tout à y gagner. La seule raison qui peut inciter à reporter cette opération en fin d'hiver est la prise en compte du rôle de support que peuvent jouer ces chaumes morts en cas de neige lourde. Les chaumes feuillus qui se courbent sous le poids de la neige peuvent venir s'appuyer sur eux. Leur effet reste cependant limité.

La récolte des chaumes

C'est en période de relatif repos végétatif que les chaumes dits mûrs (c'est-à-dire âgés de quatre à cinq ans) seront récoltés pour l'utilisation artisanale. Ils sécheront alors dans de bonnes conditions. On les coupera au ras du sol avec une scie à dents serrées.

La récolte des pousses pour la consommation alimentaire

Il est conseillé de les récolter le matin, leur goût sera plus fin. La plupart des espèces tempérées se récoltent au printemps (*Phyllostachys pubescens*, *P. violascens*, *P. praecox*, *P. viridiglaucescens* sont parmi les plus précoces. *P. viridis* et surtout *P. bambusoïdes* parmi les plus tardifs). On veillera à bien reboucher le trou laissé dans le sol après extraction du turion. Les espèces tropicales se récoltent en cours et en fin d'été. La plaie de section du turion sur la plante mère doit cicatriser à l'air libre. Le trou dans le sol ne sera rebouché que plus tard.

Les apports de fumier

Un fumier de ferme bien décomposé est idéal. Partiellement déshydraté, il sera plus aisé à épandre. On comptera de 1 à 3 kg/m^2 et l'on ne tentera pas de l'enfouir.

Les apports d'engrais

Épandage en surface si possible, en deux fois, en fin d'hiver et dans le courant de l'été, type 20-10-10, au total de 50 à 60 g/m^2 s'il n'y a pas eu apport de fumier.

La tonte des bambous nains

Cette tonte se réalise à la tondeuse, à la débroussailleuse ou à la cisaille, une ou deux semaines avant la sortie des nouvelles pousses et le renouvellement des feuilles. Si les plantes manquent de vigueur, on fera un apport d'engrais complet ou de fumier bien décomposé et assez sec après la coupe.

La taille d'égalisation

Cette taille permet d'ajuster la hauteur pour les bambous taillés ou tondus.

La taille de formation

Elle est destinée aux haies, aux bonsaïs ou aux bambous aux formes plus recherchées.

Protection contre le froid et la neige

Elle se fait par paillage du sol et par mise sous abri si de grands froids s'annoncent. On traitera le feuillage à l'aide d'antitranspirants à l'approche de la neige. On regroupera les chaumes en gerbes de 8 à 12.

CALENDRIER DES SOINS

	J	F	M	A	M	J	J	A	S	O	N	D
Plantation	●	●	–	–	·	·	●	●	●	●	–	·
Élimination des chaumes secs	●	●	●						●	●	●	
Récolte de chaumes	●	●	●								●	●
Récolte des pousses (bambous tempérés)				●	●	●						
Récolte des pousses (bambous tropicaux)												
Apport de fumier	●	●										
Apport d'engrais	●	●					●	●				
Tonte des bambous nains		●	●									
Taille d'égalisation					●	●						
Taille de formation (bambous tempérés)	●	●	●									
Taille de formation (bambous tropicaux)							●	●	●			
Mise en place de la protection contre froid et neige										●	●	

La floraison : une énigme

Alors que la plupart des végétaux que nous connaissons fleurissent régulièrement chaque année, les bambous restent de longues années sans développer la moindre fleur. Certaines espèces n'ont encore jamais été observées en fleur par les scientifiques qui éprouvent, de ce fait, quelques difficultés à les situer dans la classification de Linné.

En réalité, la seule chose sûre que l'on puisse dire sur la floraison des bambous est qu'il n'y a pas de règle connue pour en prévoir l'apparition.

● *Les fleurs de bambou ne sont pas particulièrement décoratives dans le jardin. Mais elles peuvent produire un certain effet dans un bouquet sec. Pensez donc à mettre quelques rameaux fleuris de côté.*

Lorsqu'un bambou fleurit, sa floraison peut être soit individuelle, c'est-à-dire ne se manifester que sur une ou quelques plantes de l'espèce ou de la variété – on dit alors que la floraison est « sporadique » –, soit collective, c'est-à-dire que tous les plants d'une lignée de la même espèce ou variété fleurissent en même temps.

Cette floraison est dite « grégaire ».

La floraison sporadique

Cette floraison peut être extrêmement discrète, voire passer inaperçue, seules quelques fleurs se développant ici et là sur les branches. Le feuillage reste abondant, et ces fleurs peuvent parfois donner des graines.

Dans certains cas, la floraison se manifeste sur la totalité d'un chaume. Celui-ci peut alors soit se développer comme une hampe florale dépourvue de feuilles, soit perdre progressivement ses feuilles au profit des fleurs qui se développent. Un tel chaume dépérira après la floraison.

En revanche, tous les autres chaumes continuent à prospérer comme si de rien n'était.

La floraison sporadique peut être générale et affecter la totalité de la plante. Il n'est pas rare dans ce cas qu'il y ait une raison extérieure à ce phénomène (sécheresse, choc thermique…). Les floraisons sporadiques peuvent donner des graines en quantité plus ou moins importante. Mais il arrive que les fleurs soient stériles ou non fécondées, auquel cas aucune graine ne se forme.

◄ *Page de gauche.*
Chaume de Phyllostachys *totalement fleuri. Il ne subsiste plus aucune feuille. Dans certains cas, le chaume se développe sans feuilles mais couvert de fleurs.*

La floraison grégaire

Cette floraison peut prendre un caractère spectaculaire et affecter dans leur totalité tous les plants de la même espèce ou variété, quelles que soient leur situation géographique et les conditions climatiques sous lesquelles ils vivent. Ainsi, en même temps, au Japon, en France, en Amérique ou en Afrique du Sud, les mêmes bambous se mettront tous à fleurir. Il faut cependant donner à cette simultanéité un sens assez large, car une telle floraison peut s'étaler sur cinq à sept ans, voire davantage. Selon les plants, les premières fleurs apparaîtront avec un ou deux ans de décalage, parfois plus.

Après la floraison

Dans le cas où la floraison est discrète, le plant continue à prospérer comme auparavant.

Si la floraison est générale, les feuilles peuvent prendre des couleurs peu habituelles, jaune orangé, puis tomber sans être renouvelées. Le bambou étant tout en fleur sans aucune feuille, il y aura épuisement des réserves de la plante, qui peut ne pas s'en remettre et dépérir totalement. Ce fut le cas des *Fargesiamurielae* qui ont fleuri dans les années 1990 et dont il n'existe que de très rares survivants. Mais cette issue fatale n'est pas la règle. Chez les *Phyllostachys*, par exemple, il est fréquent d'observer une régénération de la plante après floraison. Beaucoup de bambous tropicaux, en revanche, ne se remettent pas après la floraison.

Phyllostachys flexuosa : un bambou d'avenir

Outre ses grandes qualités ornementales et son appréciable résistance au froid, aux sels, au calcaire, ce bambou vient de terminer sa floraison. Cela lui confère un avantage supplémentaire... et de taille puisque l'on peut penser qu'il ne refleurira pas d'ici à plusieurs décennies.

Quels soins apporter à un bambou en fleur ?

Ceux qui connaissent un peu les histoires de bambous ont tendance à s'alarmer dès la première fleur qu'ils observent. Cette crainte, injustifiée au départ, peut devenir fondée si la floraison se généralise. Dans ce cas, il faudra tenter de limiter la perte des réserves de la souche en supprimant toutes les parties fleuries. Généralement, la plante développe de nouvelles tiges fleuries, mais, sans se décourager, il faut continuer à les éliminer tout en fertilisant la plante. Ces soins ne garantissent pas la régénération du bambou à partir de la souche, mais ils augmentent ses chances de survie.

Les cycles de la floraison des bambous

Il semblerait qu'il y ait pour chaque espèce un cycle plus ou moins régulier de floraison. Mais, étant donné la longueur

▲ *Une rareté : la fleur du bambou* Phyllostachys fimbriligula *qui a fleuri chez nous de 1997 à 1999.*

(plusieurs dizaines d'années) de ces cycles, il n'est pas facile de les étudier. Sans compter que la floraison n'est pas toujours au rendez-vous. Ainsi *Phyllostachys pubescens* 'Mazel', dont le cycle de floraison est estimé à soixante-sept ans, fut planté à Prafrance avant 1880 par le même Mazel, créateur de la bambouseraie. Ce bambou y prospère à merveille et n'a, depuis, jamais été affaibli par la moindre floraison. Il aurait pourtant dû, à en croire les partisans des cycles réguliers, fleurir à deux reprises au moins…

De nombreux chercheurs essaient de percer le secret de la floraison des bambous dans l'espoir de pouvoir la maîtriser. C'est-à-dire, soit empêcher qu'elle ne survienne, soit, au contraire, la provoquer chaque année et conduire les bambous comme des céréales productives.

La floraison des pessimistes

Même si elle surprend presque toujours, rien n'est plus naturel que la floraison des bambous. Elle n'est pas toujours vue d'un bon œil par les esprits chagrins qui craignent que les graines produites ne germent pas, que les pieds mères dépérissent et que la variété ne disparaisse à jamais.

Dans le même ordre d'idées, il se raconte en Asie que la floraison des bambous attire la famine, car la profusion de graines produites nourrit les rats qui se multiplient et, après avoir dévoré toutes les graines de bambou, s'attaquent aux autres productions.

La floraison des optimistes

Pour les optimistes, la floraison est une source de rajeunissement de l'espèce. Elle peut conduire par hybridation ou par mutation à de nouvelles variétés et doit, dans cette optique, être perçue comme une chance de progrès.

Toujours en Asie, il se raconte que des floraisons de bambou ont parfois sauvé des populations de la famine, en leur apportant, sans que personne s'y attende, des tonnes de graines dont ils ont pu faire farine, pain, etc.

La classification des bambous

● *Toute plante est rattachée à un genre défini par le premier nom, ex. : Phyllostachys. Puis à une espèce, c'est le deuxième nom, ex. : nigra. Il y en a parfois un troisième s'il s'agit d'une variété, un cultivar, une forme, ex. : 'Boryana'.*

Il existe une telle diversité chez les bambous qu'il est nécessaire de les classer pour tenter de s'y retrouver. La classification que l'on pourrait qualifier de plus scientifique est celle des botanistes. Ce sont eux qui donnent à chacun un nom, les rattachant à un genre, à une espèce, puis à une variété, un cultivar ou une forme, etc. Cette classification repose en grande partie sur l'organisation du système floral. Non seulement elle est assez complexe chez les bambous, mais, en outre, les caprices de leur floraison font qu'il est difficile, voire impossible parfois, de les observer. Il ne faut donc pas trop s'étonner si les noms des bambous changent souvent.

Certains bambous sont vendus par des professionnels spécialisés sous des appellations qu'ils savent incorrectes mais qu'ils conservent pour ne pas ajouter à la confusion. En effet, si un bambou change trois fois de nom en trois ans, il y aurait sur le marché le même bambou avec trois noms différents, ce qui ne manquerait pas de tromper les clients, car, au stade jeune, beaucoup de bambous sont identiques.

Imaginons la déception d'un amateur ravi d'avoir planté trois bambous sous des noms différents et s'apercevant, quelques années plus tard, qu'il s'agit d'une seule et même variété. Sans compter qu'un bambou doté d'un nouveau nom ne se retrouve pas dans la littérature et qu'il devient alors difficile d'en savoir plus sur ses exigences et ses aptitudes. Un producteur sensé doit donc attendre qu'il y ait un véritable consensus sur un même nom pour l'adopter. Il faut savoir être patient. Nous avons pour cet ouvrage retenu les noms qui semblent les plus utilisés en pépinière et dans la littérature.

Les recherches actuelles dans le domaine de la génétique portant sur le séquençage de l'ADN apportent un éclairage nouveau sur la taxonomie. La fleur n'étant plus indispensable pour progresser dans la classification, les bambous ont tout à y gagner. Gageons que d'ici à quelques décennies tout ou presque sera en bon ordre.

Pour le moment, les bambous ligneux sont répartis en une soixantaine de genres et un millier d'espèces. Ils sont, pour la plupart, originaires d'Asie et quelques uns viennent

◄ Page de gauche. Les bambous géants surplombent un tapis de bambous nains. Une cohabitation réussie.

d'Amérique du Sud, d'Afrique ou d'Australie. Aucun bambou ne pousse à l'état naturel en Europe, mais il y en avait en des temps très anciens, que l'on peut retrouver en France ou en Allemagne à l'état fossilisé.

Deux types de bambous

Sans entrer dans le détail de la nomenclature des bambous, nous ferons la différence entre deux types bien distincts : les bambous cespiteux et les bambous traçants. Ils se distinguent par leur mode de développement.

Les bambous cespiteux sont ceux qui restent en touffe plus ou moins compacte.

Les bambous traçants sont ceux qui ont tendance à s'étendre en surface.

Cette différence provient du mode de croissance du rhizome et du développement des bourgeons qui donneront par la suite les chaumes.

Chez les bambous traçants, le rhizome qui est leptomorphe semble avoir pour devise : « Toujours droit devant ». Il fonce tête baissée et peut s'allonger de plusieurs mètres en un an. Chaque entre-nœud porte un bourgeon qui, en se développant, peut devenir soit un chaume – sa croissance sera alors verticale de bas en haut –, soit un rhizome avec une croissance horizontale souterraine présentant parfois quelques incursions à l'air libre et retour immédiat au milieu souterrain, à moins que le sort n'en décide autrement, auquel cas, la pointe du rhizome donnera un chaume (preuve s'il en est que le rhizome est bien une tige et non une racine).

Mais les bourgeons que porte un rhizome ne se développent pas tous.

Chez les bambous cespiteux, le rhizome qui est pachymorphe a pour devise : « Allons voir là-haut s'il fait beau ». Il a donc une croissance horizontale très courte, redresse rapidement la tête et pointe hors du sol pour se développer en chaume.

Dans l'échelle d'apparition des végétaux, les bambous cespiteux sont antérieurs aux traçants. Ces derniers sont donc les plus évolués.

On constate qu'en règle générale les bambous tropicaux sont cespiteux et les bambous de région tempérée sont traçants (il y a quelques exceptions).

Comment rendre cespiteux un bambou traçant

Il y a peu de bambous cespiteux adaptés au climat tempéré. Il est cependant possible de transformer en bambou cespiteux un bambou traçant. Il suffit pour cela de supprimer, lorsqu'elles sortent, toutes les jeunes pousses autour de la touffe qui doit être conservée. Si cette dernière est sur une pelouse, l'opération est d'autant plus facile que chaque passage de tondeuse éliminera systématiquement les pousses indésirables. La réciproque – rendre traçant un bambou cespiteux – n'est pas possible en l'état de nos connaissances.

▲ *Lisière d'une forêt
de bambous traçants :*
Phyllostachys pubescens.

Un classement par taille

S'il est utile pour le jardinier de savoir si un bambou est cespiteux ou traçant, l'information ne laisse rien apparaître de
l'importance du développement qu'il peut prendre. Pour
cette raison, nous adopterons un classement par taille. Ainsi
nous distinguerons :
– les bambous nains : inférieurs à 1,50 m ;
– les petits bambous : compris entre 1,50 et 3 m ;
– les bambous moyens : compris entre 3 et 9 m ;
– les bambous géants : dépassant 9 m de hauteur.
Ce classement purement horticole doit être considéré avec
une grande largesse d'esprit, car il ne peut être rigoureux.
Pour beaucoup d'espèces, il dépend des conditions locales
(climat, sol, entretien…). Ainsi, un bambou classé parmi les
géants, planté en région septentrionale dans un sol de mau-
vaise qualité, ne dépassera probablement pas 4 à 5 m, même
au bout de cent ans.
Ce classement doit donc être relativisé par rapport au lieu,
surtout pour les bambous géants, sachant que, si un ou plusieurs des facteurs suivants est défaillant, la hauteur maxi-
male se trouvera réduite d'autant :
– durée de la belle saison (période durant laquelle les températures diurnes sont supérieures à 18 °C) ;
– qualité du sol ;
– satisfaction des besoins en eau et matières nutritives ;
– température hivernale ne mettant pas en péril la survie des
chaumes.

Les bambous nains

Ces bambous sont essentiellement décoratifs par leur feuillage, qui peut être toujours vert, panaché, ou variable.

Les toujours verts

Notons cependant que la rigueur de l'hiver peut, dans certains cas, brunir le feuillage par température très basse.
- *Arundinaria pumila*
- *Arundinaria disticha*
- *Shibataea kumasaca*

Les panachés

Les feuilles sont striées dans leur longueur et le contraste de la panachure est plus ou moins marqué selon la saison et l'exposition.

● **Panaché jaune et vert**
Arundinaria viridistriata 'Auricoma' est absolument magnifique au printemps. Sacré « trésor vivant », c'était le bambou préféré du maître japonais Koishiro Ueda. Par grand froid, cette espèce peut perdre une partie, voire la totalité de son feuillage.

▼ *Bambous nains en pépinière : au fond et à droite :* Arundinaria auricoma *; à gauche* Arundinaria pumila…

● **Panachure vert et blanc crème**

– *Arundinaria fortunei* : les feuilles sont plus souvent dressées que largement étalées.

– *Sasa masamuneana* 'Albostriata' : la panachure, très contrastée au printemps, s'estompe peu à peu à l'approche de l'hiver si la plante est très arrosée.

Les feuillages variables

Feuilles vertes en pleine saison, c'est-à-dire au printemps et en été. Marginées de crème ou de brun en automne et en hiver. Ce phénomène, dû à la nécrose des cellules du bord des limbes, donne un attrait décoratif supplémentaire, surtout pour la plante vue dans son ensemble. Il faut reconnaître que la vision rapprochée est moins séduisante.

– *Arundinaria vagans*

– *Sasa admirabilis*

– *Sasa veitchii*

▼ *Sous la pergola en bambous, les bambous nains* (Arundinaria vagans) *bordent avantageusement le plan d'eau.*

Utilisations des bambous nains

– couvre-sol ;

– fixe-sol, berge, talus ;

– plante en pot et bonsaï.

Les petits bambous

Les bambous dits petits sont généralement inférieurs à 3 m. Leur diversité réside surtout dans leur port et dans la taille de leurs feuilles. Notons cependant la couleur des chaumes très attractive pour *Chimonobambusa marmorea* qui rougit en hiver (surtout le cultivar 'Variegata') et *Bambusa multiplex* 'Alphonse Karr' aux rayures jaunes et vertes.

Port en touffe

Les plus rustiques :
– *Fargesia nitida* = *Thamnocalamus nitidus* et ses cultivars, et *Fargesia murielae* = *Thamnocalamus murielae* et ses cultivars, tous deux ont l'extrémité des chaumes qui ploie sous le poids de leur feuillage, leur conférant un aspect retombant, d'où le nom de bambou parapluie donné à *Fargesia murielae*.
– *Thamnocalamus tessellatus* = *Arundinaria tessellata*, résiste lui aussi au froid ; ses chaumes, bien que densément feuillés, restent dressés.
– *Bambusa multiplex* 'Golden goddess'
– *Bambusa multiplex* 'Elegans'
– *Bambusa multiplex* 'Alphonse Karr'
– *Drepanostachyum asper*.
Ces bambous cespiteux peuvent être cultivés en isolés, en haie ou en bordure et même en pot où ils font merveille, à l'exception de *Thamnocalamus tessellatus* qui préfère la pleine terre ou une vaste jardinière.

Espèces traçantes

Nous retiendrons ceux qui ont un caractère ornemental particulier.
– *Hibanobambusa tranquillans*. Il est difficile de dire des chaumes ou des feuilles larges et bien vertes lesquels sont les plus décoratifs. Le cultivar 'Shiroshima' présente des feuilles remarquablement panachées.
– Panaché lui aussi, mais avec de petites feuilles, *Arundinaria chino* 'Angustifolia' = *Arundinaria chino* 'Elegantissima', très gracieux et retombant. Assez semblable mais plus dressé, *Arundinaria argenteostriata* 'Tsuboï' = *Arundinaria shibuyanus* 'Tsuboi', tous deux particulièrement décoratifs au printemps.
Parmi les feuillages qui changent de couleur en hiver, retenons les plus spectaculaires :
– *Sasa veitchii* et *Sasa admirabilis*, superbes en pleine terre, mais plus difficiles à cultiver en pot. Les feuilles vertes en été se marginent de blanc crème en hiver.
Certains petits bambous ont de très grandes feuilles comme :

▲ Chimonobambusa marmorea *fait merveille planté en haie, comme ici.*

– *Sasa tessellata* aux tiges dressées mais aux feuilles retombantes qui peuvent dépasser 50 cm de longueur ;
– *Sasa palmata*, aux larges feuilles étalées.
Tous deux ajoutent une note très exotique au coin du jardin qu'ils occupent.
Pour la régularité du port et la densité du feuillage, on choisira *Sasa tsuboïana*.

Utilisations des bambous nains

Les petits bambous sont très polyvalents.
Ils conviennent très bien aux balcons, terrasses, vérandas et petits jardins, mais aussi aux grands espaces qu'ils peuvent meubler harmonieusement.

▶ *Page de droite.*
Parmi les bambous les plus décoratifs, certains Phyllostachys *ont un port légèrement retombant.*

Les bambous moyens (de 3 à 9 m de haut)

Les bambous dits moyens font généralement de 3 m à 9 m de haut. Ces bambous sont parfaitement adaptés à la plupart des jardins, et l'amateur peut avoir du mal à faire un choix tant la gamme est étendue. Les critères peuvent prendre en compte l'adaptation au milieu et les particularités ornementales comme la beauté des jeunes pousses ou la couleur des chaumes.

Utilisation

● **Les plus résistants au froid**
Phyllostachys angusta, Phyllostachys aureosulcata , Phyllostachys aureosulcata 'Aureocaulis', *Phyllostachys aureosulcata* 'Spectabilis', *Phyllostachys bissetii, Phyllostachys decora, Phyllostachys dulcis, Phyllostachys flexuosa, Phyllostachys glauca, Phyllostachys humilis, Phyllostachys iridescens, Phyllostachys nuda, Phyllostachys nuda* 'Localis', *Phyllostachys propinqua, Phyllostachys rubromarginata, Pseudosasa japonica.*

● **Les plus résistants en terrain mal drainé**
Arundinaria gigantea, Phyllostachys decora, Phyllostachys nigra, Phyllostachys purpurata, Phyllostachys rubromarginata.

● **Les moins résistants au vent**
Phyllostachys aureosulcata (l'espèce à chaume vert), *Phyllostachys nigra.*

● **Le plus résistant au gel**
Phyllostachys flexuosa.

● **Les jeunes pousses les plus décoratives**
Phyllostachys aureosulcata et tous ses cultivars, *Phyllostachys decora, Phyllostachys dulcis, Phyllostachys glauca, Phyllostachys iridescens, Phyllostachys nidularia, Phyllostachys nigra.*

● **Les chaumes colorés (autres que vert)**
Phyllostachys aureosulcata (vert sillon jaune), *Phyllostachys aureosulcata* 'Spectabilis' (jaune sillon vert), *Phyllostachys aureosulcata* 'Aureocaulis' (jaune), *Phyllostachys arcana* 'Luteosulcata' (vert sillon jaune), *Phyllostachys glauca* (bleuté), *Phyllostachys humilis* (noir, les très jeunes chaumes seulement), *Phyllostachys nigra* (noir, en vieillissant), *Phyllostachys nuda* (noir, les très jeunes chaumes seulement), *Semiarundinaria fastuosa* (pourpre en automne et hiver), *Semiarundinaria kagamiana* (pourpre en automne et hiver), *Semiarundinaria yashadake* 'Kimmei' (jaune strié de vert).

● **Les plus densément feuillés de haut en bas**
Semiarundinaria kagamiana, Semiarundinaria yashadake 'Kimmei'.

● **Les plus délicieux**
Phyllostachys dulcis, Phyllostachys iridescens.

Les bambous géants

Bien qu'ils impressionnent par leur taille, ils peuvent pourtant trouver leur place même dans les petits jardins. Rappelons cependant qu'il faut un minimum de 20 m^2 pour leur permettre de bien se développer. La plupart des géants tropicaux ne supportent pas le gel.

Les plus résistants que nous retiendrons sont *Bambusa ventricosa*, *B. multiplex* et *B. oldhamii*, qui supportent respectivement jusqu'à – 7 °C, – 9 °C et – 10 °C.

Dans les régions à hiver doux, ils peuvent dépasser 10 m de hauteur.

Il existe heureusement des bambous géants rustiques pouvant résister l'hiver jusqu'à – 18 °C voire – 22 °C. On les trouve essentiellement dans le genre *Phyllostachys*. Rappelons que leur taille dépend bien évidemment de l'espèce ou de la variété mais aussi de la durée de la belle saison et de l'importance des hautes températures. Ainsi dans le nord de l'Europe où la belle saison est relativement courte, il serait vain d'attendre qu'un *Phyllostachys* géant atteigne 18 ou 20 m de hauteur. Si les conditions de sol, d'arrosage, de fertilisation et d'exposition sont bonnes, il atteindra peut-être 6 à 8 mètres mais guère plus.

Pour la production de pousses comestibles, les bambous géants ont un avantage certain : c'est le calibre des turions. Une jeune pousse de *Phyllostachys pubescens* peut peser au stade de la récolte entre un et deux kilogrammes. Ce qui suffit à préparer un plat même pour une famille nombreuse. Il s'agit bien sûr de gros calibre car la moyenne des pousses chez cette espèce oscille entre 350 et 500 grammes.

Utilisation

Les bambous géants sont utilisés pour leurs qualités ornementales dans les jardins, les parcs ou les forêts, mais aussi comme matériau de construction et pour la production de pousses comestibles.

● **Les plus résistants au froid**
Phyllostachys viridiglaucescens, *Phyllostachys viridis* 'Youngii', *Phyllostachys viridis* 'Sulfurea', *Phyllostachys nigra* 'Boryana', *Phyllostachys nigra* 'Henonis', *Phyllostachys viridis*, *Phyllostachys vivax* 'Aureocaulis', *Phyllostachys pubescens* (à condition d'être bien installé).

● **Les plus appréciés par les gourmets**
Phyllostachys pubescens, *Phyllostachys viridis*, *Phyllostachys nigra* 'Boryana', *Phyllostachys nigra* 'Henonis'.

▶ *Page de droite.*
La bambouseraie
de Prafrance : allée bordée
de Phyllostachys viridis.

Limiter l'extension d'un bambou

Si certaines personnes ne plantent pas de bambous par crainte de ne pas les voir pousser, d'autres se privent du même plaisir mais pour la raison inverse : la crainte de les voir trop pousser et devenir envahissants.
Cette crainte peut être justifiée dans certaines conditions, mais il est facile, si le risque se présente, de s'opposer au développement intempestif des bambous.

● *Observez les trois phases de développement de bambous de régions tempérées :*
– le développement des chaumes au printemps,
– le développement des rhizomes en été et début d'automne,
– le ralentissement végétatif en hiver.

Limiter le développement en hauteur

Il peut arriver qu'un bambou devienne gênant par la hauteur qu'il prend. Ainsi peut-il masquer une vue intéressante ou gêner par son ombre la croissance d'autres plantes. En principe, ce risque peut être évité lors du choix de la variété. Mais on peut toujours avoir sous-estimé l'adaptation du bambou aux conditions locales et constater que les plus grands chaumes atteignent 7 ou 8 m alors qu'ils étaient supposés ne pas dépasser 5 m.

Le moyen le plus radical pour les ramener à la hauteur souhaitée consiste à tailler tous les chaumes au bon niveau. En réduisant l'entretien (fumure, arrosages), il y a de bonnes chances pour que les pousses de l'année suivante ne dépassent pas la hauteur souhaitée. Si ce n'est pas le cas, il faut s'en aviser dès la sortie de terre des turions. Étant donné que la hauteur des chaumes est proportionnelle au diamètre de la base, il faudra prendre pour référence un chaume qui fait la hauteur souhaitée et supprimer tous les turions d'un diamètre supérieur. Il peut arriver que tous les turions doivent être éliminés, il n'y a pas lieu de s'inquiéter pour l'avenir : de nouveaux turions, en principe de diamètre inférieur, ne tarderont pas à sortir de terre. Ils devraient donner des chaumes de hauteur satisfaisante.

◄ *Page de gauche. Phyllostachys pubescens 'bicolor' dans un jardin japonais. De multiplication délicate, ce bambou peut néanmoins s'adapter au climat européen.*

Aucun outil ne sera nécessaire pour cette opération. Il suffit de saisir à deux mains la jeune pousse à hauteur de la poitrine et d'imprimer un mouvement sec de va-et-vient semblable à un coup de fouet. L'onde se propage le long de la pousse et désarticule la pointe au niveau d'un nœud, faisant tomber l'extrémité sectionnée. Il est prudent de porter un casque, surtout si les bambous dépassent 8 à 10 m de hauteur. Cette technique permet de réduire la hauteur d'environ un sixième à un huitième. Cette méthode est utilisée en Chine et au Japon dans les cultures pour limiter les risques de dégâts dus à la neige.

Limiter le développement en surface

Les bambous cespiteux restent en touffes compactes et n'ont pas tendance à coloniser l'espace environnant. Ce n'est pas le cas des bambous traçants qui, s'ils disposent d'un bon terrain, vont chercher à l'occuper.

Cependant, bien souvent, des obstacles s'opposent à leur cheminement. Quels peuvent être ces obstacles ?

Un mur

Un mur sera un obstacle d'autant plus efficace que ses fondations seront profondes.

Une allée large et compactée

Il est rare qu'un rhizome traverse une allée régulièrement fréquentée si celle-ci dépasse 3 m de longueur. La preuve en est apportée à la bambouseraie de Prafrance : les premiers bambous furent plantés il y a cent cinquante ans de part et d'autre des allées sans protection particulière pour les empêcher de migrer de l'autre côté. Ils n'ont à ce jour toujours pas traversé, restant chacun sagement du côté qui leur avait été imparti au départ.

Une pelouse

Une pelouse est un obstacle efficace à condition qu'elle soit régulièrement tondue. Les jeunes pousses de bambou qui émergent dans la pelouse seront supprimées par les tontes, ce qui entraînera le dépérissement des rhizomes qui les ont fait naître sans porter préjudice aux bambous qui bordent la pelouse.

Un cours d'eau

Un ruisselet, un ruisseau ou une rivière sont des obstacles infranchissables pour un bambou même très traçant.

Dans le cas où de tels obstacles n'existent pas et que l'on craigne que le bambou n'aille trop loin, il faut trouver un moyen pour le dissuader.

Creuser une tranchée

Cette technique consiste à creuser en limite de la zone impartie au bambou une tranchée d'une largeur d'environ 20 cm et profonde d'environ 30 cm. Cette tranchée devra être contrôlée chaque hiver pour éliminer tous les fuyards, les rhizomes qui auraient traversé la tranchée. Il faut les sectionner du côté des pieds mères et extraire jusqu'à l'extrémité le rhizome qui s'échappait en terrain interdit.

Réaliser une barrière enterrée

Elle peut être soit construite en dur, soit constituée d'une matière de synthèse dure et résistante enterrée de 60 à 70 cm environ et faisant un angle de 15° avec la verticale à l'extérieur de la zone attribuée au bambou. Cette légère inclinaison décourage le rhizome de contourner la barrière par-dessous. Des pépiniéristes spécialisés proposent des rouleaux de barrière à rhizome relativement faciles à mettre en place.

Si rien n'a été fait pour faire obstacle aux rhizomes, on peut toujours supprimer systématiquement les jeunes turions qui sortent en zone interdite. Et pourquoi ne pas profiter de ces récoltes régulières pour les cuisiner et s'en régaler ? Pour ceux qui n'auraient pas le temps de les cuisiner, il vaut mieux pour les supprimer attendre que les jeunes pousses commencent à développer leurs feuilles (environ un mois et demi après être sorties de terre).

▶ *Pour éviter que les rhizomes ne traversent, l'allée doit être conçue suffisamment large.*

Les bambous en pot et jardinière

● Fertilisez et
arrosez plus
souvent un
bambou cultivé en
pot car il dispose
d'un volume de
substrat bien
moindre que
s'il était en
pleine terre.

La plupart des bambous peuvent être cultivés en pot ou en jardinière, c'est-à-dire qu'ils peuvent s'adapter à un volume de substrat réduit. De ce volume disponible dépendra l'importance de la partie aérienne. Nous abordons ici la culture en pot pour l'ornement des intérieurs, balcons, terrasses, vérandas ou autre espace urbain, en prenant en compte le fait que la plante doit rester plusieurs années dans le même contenant. Il en va différemment de la culture en pépinière dont le but est de produire une plante bien pourvue en réserves et destinée à être replantée. Ainsi un pépiniériste peut livrer une touffe de bambou de 5 m cultivée dans un conteneur de 50 litres, mais il serait aberrant de vouloir maintenir plusieurs années une telle plante dans un si petit volume de substrat.

Le substrat

Le substrat est un élément déterminant pour la bonne végétation du bambou en pot. Il doit avoir une bonne capacité de rétention en eau, être suffisamment filtrant pour permettre à l'air de parvenir jusqu'aux rhizomes et, bien sûr, contenir les éléments nutritifs nécessaires à la plante.

La diversité des bambous est telle que les exigences en matière de substrat ne sont pas identiques pour tous. Il est possible cependant d'établir une composition de base suffisamment polyvalente pour convenir à la plupart des bambous de chez nous. Elle s'établit comme suit : de 10 à 20 % de terre franche argileuse, de 40 à 50 % de tourbe blonde, de 30 à 40 % d'écorce de pin composté, de 10 à 15 % de sable ou pouzzolane. Ajouter à l'ensemble 4 kg d'engrais complet à

Un substrat japonais pour vos bambous

Harutsugu Kashiwagi, qui dirige la plus importante collection de bambous du Japon au pied du mont Fuji, préconise pour leur culture en pots la formule suivante : mélangez 70 % d'argile rouge avec 30 % de terreau de feuilles. Pour les bambous nécessitant un substrat plus drainant, 50 % de terre franche, 20 % de sable et 30 % de terreau de feuilles.

*◀ Page de gauche.
En appartement le bambou
ne doit pas être privé
de lumière. La proximité
d'une fenêtre est toujours
bénéfique.*

libération lente d'azote (type crotodur) de formule 20-10-10. Le tout sera bien mélangé pour obtenir un substrat bien homogène.

Le drainage

Tout pot ou jardinière destiné à recevoir des bambous doit être percé pour évacuer l'eau en excès (à l'exception des bacs à réserve d'eau conçus de telle sorte que le substrat de culture ne soit pas saturé d'eau).
Si la mise en place au fond d'une couche drainante n'est pas indispensable pour les faibles litrages, en revanche, elle s'impose pour les contenants dépassant 30 litres.

Le rempotage et l'entretien

Il arrivera un moment où le bambou devra être rempoté soit dans un pot plus grand, soit dans le même pot. L'alerte peut être donnée par le feuillage qui devient plus clairsemé et par les chaumes qui se dessèchent prématurément. Par ailleurs, le substrat a pu être très largement consommé par les racines, l'eau n'est plus retenue dans le pot. Tous ces signes indiquent qu'il faut rempoter.
Le rempotage se fait de préférence en fin d'hiver. Après avoir ôté le pot, la motte sera nettoyée de toutes les parties végétales dépéries (racines et rhizomes) mais aussi d'une partie des rhizomes sains qui entourent la motte. Si le nouveau pot est plus grand que le précédent, on peut laisser les rhizomes intacts ou n'en supprimer qu'un tiers de la longueur. Si, en revanche, le bambou doit retourner dans le même pot, il ne faut pas hésiter à supprimer la moitié ou même davantage des rhizomes qui entourent la motte. Toutes les parties enlevées seront remplacées par du nouveau substrat.
La partie aérienne sera, elle aussi, allégée en supprimant les chaumes les plus anciens. Bien arroser après le rempotage.
En Asie, le bambou est très apprécié en bonsaï. Il est traité comme les autres bambous en pot avec des soins plus attentifs pour l'arrosage, car le volume de terre est généralement très réduit.
Les espèces les plus utilisées sont les bambous nains à petites feuilles, mais aussi quelques *Phyllostachys* de grande taille.

L'arrosage

L'arrosage a pour objectif de maintenir à la motte une certaine fraîcheur mais, en aucun cas, de la saturer en eau. Il est difficile de fixer la fréquence des arrosages, car ils dépendent

● *L'entretien se résume à trois opérations : arroser, fertiliser, tailler.*

non seulement du rapport entre le volume du pot et le développement de la partie aérienne, mais aussi des conditions locales de température et d'hygrométrie.

La fertilisation

Pour la fertilisation, le plus pratique est de faire appel aux engrais du commerce proposés pour les plantes vertes en privilégiant ceux à prédominance azotée.

Les apports sous forme liquide, granulés ou bâtonnets sont d'égale efficacité. Il faudra réduire, voire supprimer les applications en hiver.

La taille

La taille consiste essentiellement en un éclaircissage. Les vieux chaumes qui commencent à se dessécher seront coupés à la base. Sur les petits bambous dont les chaumes sont souvent très serrés, il est conseillé d'intervenir avec une paire de ciseaux à bonsaï ou des ciseaux de vendangeur.

Les chaumes très durs ne seront pas faciles à couper, mais la pénétration au cœur de la touffe est plus aisée qu'avec des sécateurs.

Une taille de mise en forme permet de rééquilibrer une plante dont l'allure ne conviendrait pas. On peut ainsi

▼ *Les bambous nains ne se développent guère au-delà de la taille atteinte lorsqu'on les achète en conteneur.*

▼ Arundinaria fortunii traité en bonsaï (jardin botanique de Shanghai).

alléger certaines parties par suppression de chaumes entiers, de branches ou de portions de branches. Il faut, dans tous les cas, veiller à couper juste après un nœud.

La mode des topiaires revient, et certains bambous comme *Bambusa multiplex* 'Elegans' s'y prêtent à merveille. La taille se fait à la cisaille pour les gros sujets et aux ciseaux à bonsaï pour les petits. Le meilleur moment pour intervenir se situe juste au début du développement des nouvelles feuilles.

Le choix du pot

Le pot doit être suffisamment résistant pour supporter la pression qu'exercent racines et rhizomes en se développant. Si le pot doit être exposé au vent, il faudra que l'ensemble pot et substrat soit assez lourd pour ne pas basculer lorsque le bambou aura grandi et qu'il offrira un effet important au vent.

Le volume du pot doit être adapté à la taille que le bambou doit atteindre.

Pour un bambou d'appartement

– un pot de 7 à 15 litres pour un bambou de 0,50 à 1 m ;
– un pot de 15 à 30 litres pour un bambou de 1 à 2 m.

Pour un bambou d'extérieur

– un pot de 10 à 20 litres pour un bambou de 0,50 à 1 m ;
– un pot de 20 à 50 litres pour un bambou de 1 à 2 m ;
– un pot de 50 à 110 litres pour un bambou de 2 à 3 m.

Le choix de la jardinière

Une petite jardinière peut être assimilée à un pot. Dès que le volume de substrat de culture dépasse quelque 100 ou 200 litres, il ne s'agit plus de pot, mais de jardinière avec les mêmes contraintes de culture hors sol, c'est-à-dire un fond bien drainé et un substrat bien adapté.

Pour des bambous nains ou petits, la profondeur de la jardinière ne devra pas être inférieure à 35 cm. Pour des bambous moyens, il faut

▲ *Mini-paysage chinois composé de bambous nains.*

disposer au moins d'une épaisseur de substrat exploitable par les racines de 60 cm.

Pour des bambous géants, la profondeur minimale sera obligatoirement de 80 cm.

Pour des zones exposées aux vents, il faudra, pour les bambous moyens et géants, augmenter les profondeurs de 50 % afin d'assurer un meilleur ancrage des plants.

Pour que des espèces moyennes et géantes puissent bien se développer, il faut qu'il y ait suffisamment de surface. Le tableau suivant indique les dimensions minimales des jardinières en fonction de la hauteur des chaumes.

La bonne dimension pour la jardinière

Hauteur des chaumes	Dimension minimale *Largeur x longueur de la jardinière*
2 m	1 m x 1 m
3 m	2 m x 1,25 m
4 m	3 m x 1,50 m
5 m	4 m x 2 m
6 m	5 m x 2,50 m
7 m et plus	6 m x 3 m

Les bambous d'appartement et de véranda

L'importance de la lumière

La lumière est le facteur essentiel pour le bon développement de la plupart des végétaux, et le bambou n'échappe pas à la règle. Dans ce domaine, il est plus exigeant que la plupart des plantes vertes d'appartement.

En période d'activité, c'est-à-dire au cours de la belle saison, le bambou exige un minimum de 2 000 Lux. Il faut donc le mettre à proximité d'une fenêtre ou, mieux, d'une baie vitrée. Il apprécie tout particulièrement une lumière zénithale et sera ravi de se trouver sous un châssis de toiture.

En période de moindre activité, le bambou se contentera d'une lumière plus faible, mais n'en sera pas plus heureux pour autant. S'il commence à perdre ses feuilles avant la saison, c'est que la lumière lui manque.

Une bonne hygrométrie

L'hygrométrie, qui qualifie l'humidité de l'air, n'est donc pas liée à l'arrosage. Dans un air très sec, un bambou, même copieusement arrosé, souffrira, l'extrémité et le bord de ses feuilles vont brunir et se dessécher, et il ne tardera pas à être la proie des acariens. Dans les appartements où fonctionne un chauffage central, l'air est souvent trop sec. Il faut le réhumidifier et parfois même bassiner les plantes.

Une hygrométrie de l'ordre de 70 % convient à la plupart des bambous. Pour des aménagements de prestige, le bambou n'a

La brumisation

La brumisation consiste à diffuser dans l'air de très fines gouttelettes d'eau qui restent en suspension, augmentant l'hygrométrie, mais ne mouillant pas comme la pluie, car il s'agit d'un brouillard.

Les brumisateurs (éléments qui diffusent le brouillard) doivent être placés à proximité du feuillage. Pour masquer les tuyaux qui conduisent l'eau aux brumisateurs, il suffit de les gainer d'une perche de bambou, ils s'intègrent alors parfaitement.

◀ *Page de gauche.* Chimonobambusa quadrangularis *pousse bien en situation abritée : ici dans un temple à Kyoto.*

pas son pareil en plante d'intérieur. Quelques touffes de belle taille ont tôt fait d'habiller un hall gigantesque. Pour que les plantes aient une tenue irréprochable, la technique peut pallier les carences par des appoints de lumière artificielle aux qualités horticoles (ampoules différentes de la normale) et des installations de brumisation.

Quel type de bambou choisir pour l'intérieur ?

Tous les bambous de climat tempéré ne supportent pas d'être cultivés à l'intérieur, surtout ceux qui ont impérativement besoin d'un ralentissement végétatif induit par des températures négatives. Il est des passionnés de bambous qui sont prêts à faire bien des sacrifices pour leurs graminées préférées, mais bien peu accepteraient de vivre dans un salon à – 5 °C ou – 10 °C en hiver.

Il faut donc avant tout choisir une variété qui a des chances de s'adapter comme : *Phyllostachys bambusoides*, *P. viridis*, *P. nigra* 'Boryana', *P. nigra* 'Henonis', *P. nidularia*, *P. vivax*, *Pseudosasa japonica*, *Chimonobambusa quadrangularis*). L'expérience montre que si les conditions élémentaires (lumière, hygrométrie, arrosage, nutrition) sont favorables, ces variétés peuvent donner satisfaction.

▶ *L'abri que constitue une véranda convient bien à la plupart des bambous : tropicaux et tempérés peuvent y être associés avec succès.*

● *Attention à la surchauffe en été! Certains bambous (la plupart des* Fargesia *ainsi que certains* Chusquea) *détestent la canicule et feront piètre figure si la température devient trop élevée. Il faut alors impérativement ventiler. De toute façon, même ceux qui apprécient la forte chaleur demandent un renouvellement de l'air.*

Si les conditions élémentaires sont limites, il vaudra mieux s'orienter vers les espèces tropicales. Parmi les mieux adaptées, citons : *Bambusa multiplex* 'Golden Goddess', *B. multiplex* 'Alphonse Karr', *B. ventricosa*.

Tous les bambous cultivés à l'intérieur apprécient d'être sortis les jours de pluie, leur feuillage dépoussiéré n'en sera que plus beau.

Les bambous en véranda

Les bambous se comportent généralement mieux en véranda qu'en appartement, car ils ont davantage de lumière et d'hygrométrie. Il peut même arriver que d'autres plantes (des orchidées, par exemple) se portent mieux après l'installation de bambous dans la véranda.

Cela s'explique par l'augmentation de l'hygrométrie induite par l'évapotranspiration des bambous.

La véranda peut permettre d'abriter en hiver les espèces tropicales qui passeront la belle saison au jardin ou sur le balcon.

Les haies et les bordures

- *Pratiquez une taille de rafraîchissement. Elle consiste à supprimer rameaux et branches qui nuisent à l'esthétique. C'est une taille douce.*
- *Selon la grosseur des tiges, utilisez le sécateur (l'échenilloir si nécessaire), le taille-haie ou la cisaille.*

L'avantage majeur des haies et des bordures de bambous par rapport aux haies constituées d'autres végétaux tient au fait qu'il n'y a pas de risque de voir apparaître des trouées dues au dépérissement d'une ou de plusieurs plantes.
S'il arrivait qu'une portion de haie soit endommagée accidentellement, elle se régénérerait d'elle-même et, l'année suivante, plus rien n'y paraîtrait.

Une haie de ligneux (*Pyracantha*, cyprès, troène, laurier… ou une simple bordure de buis) court le risque permanent d'être affectée par le dépérissement d'un ou de plusieurs sujets qui la constituent. La réparation de tels dégâts n'est jamais aisée et prend toujours plusieurs années.

Avec les bambous traçants, on ne court aucun risque de cette nature, car l'ensemble est constitué de plusieurs souches qui entrecroisent leurs rhizomes sous terre. Il n'y a pas de plant individualisé.

Dans le cas d'une haie monospécifique (constituée d'une seule espèce), le risque de la floraison (voir le chapitre sur la floraison p. 51) généralisée n'est pas à écarter. Ainsi, sans que rien ne le laisse prévoir, des fleurs peuvent commencer à apparaître, les feuilles jaunissent et tombent. La haie perd de son opacité. Si les bambous ne meurent pas, il faudra quelques années pour que la haie se régénère. Le phénomène, il est vrai, est rarissime, mais il vaut mieux être averti.

Heureusement, il existe un palliatif auquel il faut penser à la plantation : mélanger toujours deux ou trois espèces. Si l'une d'entre elles fleurit, nul ne s'en apercevra, à moins d'y regarder de près, surtout si l'on prend soin d'éliminer les chaumes totalement fleuris. Il est difficile d'imaginer que deux espèces de la haie fleurissent simultanément ; quant à trois, cela paraît quasi impossible.

Des haies et des bordures modulables

Un autre avantage non négligeable du bambou conduit en haie ou en bordure est la facilité avec laquelle on peut moduler sa hauteur ou sa largeur : il suffit de tailler au bon moment et à la bonne hauteur.

*◀ Page de gauche.
Une bordure de bambous nains (Arundinaria vagans). Bien que traçant, ce bambou ne s'échappe pas car il est limité d'un côté par la pelouse régulièrement tondue et de l'autre par l'allée fréquentée par les piétons.*

▲ *Haie de* Phyllostachys *taillée. La taille se fait chaque année en fin de croissance des jeunes pousses.*

● **Haies et bordures taillées ne nécessitent pas des interventions répétées. Une seule taille par an suffit. Tout au plus faut-il, un mois plus tard, réajuster les pousses tardives qui dépassent.**

▶ *Page de droite. Une bordure constituée de* Phyllostachys nigra *'Henonis' taillés au carré.*

Tailler au bon moment

S'il s'agit de maintenir à hauteur et largeur constantes haie ou bordure, la taille se fera lorsque les nouvelles pousses auront développé leurs ramifications secondaires et commenceront à peine à développer les feuilles.

Même période s'il s'agit de donner à l'ensemble un peu plus de hauteur ou d'épaisseur que l'année précédente. S'il s'agit de réduire la hauteur de la haie, il faudra rabattre à la taille souhaitée tous les chaumes existants dans le courant du mois de mars. Une nouvelle taille sera nécessaire après la sortie des nouvelles pousses, juste avant qu'elles ne développent leurs feuilles.

Il est ainsi possible de faire varier d'une année sur l'autre la hauteur d'une haie de 1 à 2 m, voire davantage, sans que les bambous ni l'effet esthétique en souffrent.

Rapidité de croissance et d'installation est un avantage du bambou particulièrement apprécié des gens pressés. Il est possible en quelques mois d'obtenir un écran qu'aucune autre plante ne permet.

Ainsi, par exemple, une haie plantée en mars avec des jeunes plants de *Phyllostachys flexuosa* et *P. aureosulcata* 'Spectabilis' hauts d'environ 1 m atteindra facilement 2 m à 2,50 m trois mois plus tard. Si les plants à la mise en place ont été suffisamment resserrés, la haie jouera déjà pleinement son rôle. Cependant, bien souvent, l'écartement choisi laisse des vides la première année, vides qui seront de toute façon comblés l'année suivante.

Asocier les espèces

Pour se prémunir du risque de voir fleurir l'intégralité d'une haie, il est vivement recommandé, lors de la plantation, d'associer deux ou trois espèces en alternant les plants.

Le parti peut être de choisir des espèces semblables qui vont réaliser une haie homogène où l'œil, même averti, ne fera pas la différence.

Ainsi peut-on mélanger pour une haie uniforme :

Pour les petits bambous
Sasa palmata, Sasa tsuboïana, Hibanobambusa tranquillans, Sasa admirabilis, Sasa veitchii, Sasa masamuneana, Arindinaria chino 'Elegantissimus', *Arundinaria shibuyanus* 'Tsuboï'.

Pour les bambous moyens
Phyllostachys angusta, Phyllostachys aurea, Phyllostachys bissetii, Phyllostachys decora, Phyllostachys dulcis, Phyllostachys flexuosa, Phyllostachys glauca.
- **Verts**
Phyllostachys humilis, Phyllostachys meyeri, Phyllostachys nidularia, Phyllostachys nuda, Phyllostachys purpurata, Phyllostachys rubromarginata.
- **Verts avec sillon jaune**
Phyllostachys arcana 'Luteosulcata', *Phyllostachys aurea* 'Flavescens inversa', *Phyllostachys aureosulcata.*
- **Jaunes avec sillon vert**
Phyllostachys aurea 'Koi', *Phyllostachys aureosulcata* 'Spectabilis'.
- **Jaunes striés de vert**
Phyllostachys propinqua 'Bicolor'.

Pour les bambous géants
- **Verts**
Phyllostachys bambusoides, Phyllostachys makinoï, Phyllostachys nigra 'Henonis', *Phyllostachys violascens, Phyllostachys viridiglaucescens, Phyllostachys viridis, Phyllostachys vivax.*
- **Jaunes avec quelques raies vertes**
Phyllostachys bambusoides 'Holochrysa', *Phyllostachys viridis* 'Yougii'.
- **Jaunes à sillon vert**
Phyllostachys vivax 'Aureocaulis', *Phyllostachys bambusoïdes* 'Castillonis'.

Si l'on ne désire pas de haie uniforme, on peut panacher des espèces d'aspect différent soit par leur port, soit par la couleur de leurs chaumes. C'est ce que l'on pourrait appeler des « haies cocktail », en français : « queue de coq ». (Nous ne sommes pas très loin de Houzeau de Lehaie, qui, au début du XXᵉ siècle, comparait les bambous à d'énormes plumes d'autruche). Dans le choix des variétés, toute fantaisie est permise.

Quelques associations particulièrement colorées

Phyllostachys aureosulcata 'Spectabilis', *Phyllostachys humilis, Phyllostachys nigra, Phyllostachys nigra* 'Boryana', *Phyllostachys violascens, Phyllostachys sulfurea.*

▼ Sasa veitchii *en parure d'hiver. Les feuilles totalement vertes au printemps se marginent de blanc crème dès les premiers froids.*

Les bambous en couvre-sol

Le mot bambou évoque pour beaucoup une plante arborant un chaume lisse et vernissé de taille variable pouvant aller de la canne à pêche au mât de jonque. Mais il existe aussi toute la gamme des bambous nains qui ne mettent pas leurs chaumes en évidence et attirent l'attention par leur mode de développement et leur feuillage. Ce sont d'excellents couvre-sol qui peuvent être utilisés en guise de pelouse, en stabilisation de berges ou de talus, en habillage de sous-bois.

Des bambous en guise de pelouse

Même si cette utilisation a de quoi étonner, il faut se rappeler que les constituants des plus beaux gazons : ray grass, fétuque, pâturin... sont de la même famille que les bambous.

Le dictionnaire définit la pelouse comme étant un « terrain couvert d'une herbe courte et serrée ». Nul doute que des bambous choisis parmi les plus petits peuvent constituer de superbes pelouses. Il faudra cependant leur réserver des zones où les promeneurs poseront plus souvent le regard que les pieds. En effet, ce type de pelouse, pourtant très robuste, résiste mal au piétinement.

◄ *Page de gauche. Ces bambous nains ont été astucieusement utilisés en couvre-sol.*

▶ Arundinaria pumila *convient parfaitement pour un talus. Au-dessus, plantation de* Semiarundinaria fastuosa.

◀ *Double page précédente.*
Association de plusieurs
bambous : en haies, en
massifs, en bosquets.
Au premier plan, les
pleioblastus chino forment
une haie dense.

Utiliser des bambous nains en guise de pelouse présente différents avantages : l'originalité, l'aspect esthétique très séduisant et surtout le coût d'entretien qui se limite à une ou deux tontes par an, plus quelques arrosages sous climats secs.

Pour les pelouses, utilisez : *Arundinaria disticha, A. pumila, A. vagans.*
Pour davantage de fantaisie, utilisez des variétés à feuillage panaché : *Arundinaria auricoma, A. fortunei.*

Pour fixer les berges et les talus

Le bambou traçant est la meilleure arme pour lutter contre l'érosion des sols. Les Chinois, qui l'ont bien compris, ont planté des milliers d'hectares de bambous en bordure de l'immense fleuve Jaune.
Ils ont ainsi gagné sur les deux tableaux en conservant la bonne terre qui, chaque année, partait… jusqu'à la mer et en clarifiant les eaux du fleuve jusqu'à peut-être un jour devoir en changer le nom. Sans compter la plus-value économique tirée de l'exploitation de ces nouvelles cultures.

Cet exemple peut être transposé sous d'autres latitudes et à d'autres échelles. Tous les pays, toutes les régions, toutes les villes et presque tous les jardiniers connaissent les problèmes posés par les eaux de ruissellement, les berges rongées par les crues, les talus qui s'effondrent…

Le problème des berges

Il s'agit de trouver comment fixer le sol sans faire trop obstacle au passage des eaux en période de crue. C'est le bambou qui apporte la meilleure réponse. Le maillage des rhizomes dans le sol assure cohésion et grande résistance. La partie aérienne, constituée de chaumes plus ou moins flexibles, permettra aux eaux abondantes de passer et, dans certains cas, de déposer leurs limons fertiles. Il suffit de bien choisir le type de bambou en fonction des débits maximaux acceptables. Des bambous nains pour les petits ruisseaux capricieux aux géants pour les fleuves impétueux.

Le problème des talus

Le problème posé par les talus rejoint celui de l'érosion des berges. Ici aussi, les bambous apportent toutes sortes de solutions particulièrement en accompagnement des voies de circulation où la visibilité est un important facteur de sécurité.

● *Un bosquet de bambous géants peut être garni au pied d'un bambou tapissant.*
Pour limiter la concurrence de ces deux gourmands, il ne faudra pas oublier de fertiliser chaque année.

Des sous-bois de bambous

Bambous nains et petits bambous peuvent avantageusement être utilisés au pied des grands arbres et créer dans des bosquets ou en forêt une végétation plus ou moins tapissante.

Autant il peut être intéressant de mélanger plusieurs variétés de bambous moyens ou géants, autant il est peu recommandé de le faire pour des espèces naines ou petites. Chacune d'entre elles doit être utilisée en touffe isolée ou en masse toujours monospécifique.

Ainsi, sur une zone limitée à quelques dizaines de mètres carrés, le sous-bois n'accueillera qu'une ou deux variétés bien séparées de bambous de petite taille.

En revanche, si l'espace le permet, il peut y avoir intérêt à jouer sur la diversité des hauteurs, des ports et des feuilles pour créer des zones différenciées. Outre les feuillages panachés de *Sasa masamuneana* 'Albovariegata' ou d'*Hibanobambusa tranquillans* 'Shiroshima' qui ajoutent de la couleur aux sous-bois ombragés, on peut jouer sur le changement de couleur de certaines feuilles avec les saisons comme celles de *Sasa veitchii* ou de *S. admirabilis*.

▼ *Le bambou est roi dans le jardin Rakusaï proche de Kyoto.*

L'entretien de telles plantations est pratiquement inexistant.

a multiplication

> ● *Avant toute multiplication, assurez-vous que la plante soit parfaitement saine.*

La plupart des végétaux se multiplient par voie sexuée, c'est-à-dire par l'intermédiaire de la fleur, puis de la graine. Le bambou n'échappe pas à la règle, mais sachant qu'il est avare de ses fleurs, l'homme a dû mettre au point des moyens de propager cette plante si utile à bien des civilisations.
C'est par voie végétative que le bambou est propagé dans la plupart des cas. Bouturage de chaume, enracinement de rhizome ou division de touffes sont les principales techniques.

Le bouturage de chaume

Bien des espèces sont réfractaires au bouturage de chaume, tout particulièrement les espèces tempérées, à commencer par les *Phyllostachys*. Les bambous tropicaux, en revanche, sont beaucoup plus conciliants. Les chaumes choisis pour le bouturage ne doivent être ni trop jeunes ni trop vieux. Chaque bouture doit comporter au moins un nœud. Si le ou les nœuds du tronçon prélevé ont développé des branches, ce qui n'est pas indispensable à la bonne reprise, il est conseillé

◄ *Page de gauche.*
Les jeunes pousses sont d'une couleur différente des bambous adultes.

▼ *Bouture de* Bambusa

La multiplication

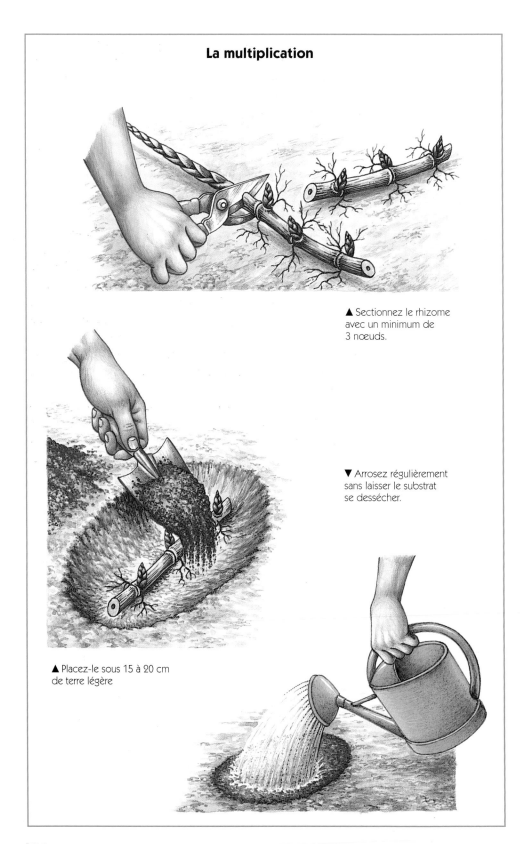

▲ Sectionnez le rhizome avec un minimum de 3 nœuds.

▼ Arrosez régulièrement sans laisser le substrat se dessécher.

▲ Placez-le sous 15 à 20 cm de terre légère

de les tailler en conservant deux ou trois feuilles. Le tronçon est ensuite mis en terre en position verticale, horizontale ou oblique. Comme pour toute bouture, il faudra arroser avec soin et veiller à ce que l'eau ne manque pas, sans toutefois tomber dans l'excès.

Petit à petit, au niveau du bourgeon nodal se développeront des racines blanches ainsi qu'un axe vertical qui, en sortant de terre, va constituer le premier chaume.

Le bouturage de rhizome

● *Ne dites pas à un mathématicien que la multiplication du bambou se fait par division, il ne vous croirait pas...*

Le bouturage de rhizome est utilisé pour les bambous traçants, généralement réfractaires au bouturage de chaume. Il est un peu plus compliqué que ce dernier, car il faut, dans un premier temps, prélever le rhizome. C'est nettement moins facile que de sectionner un chaume, puisqu'il faut creuser avec force mais aussi avec délicatesse pour ne pas endommager les rhizomes, racines et bourgeons enterrés.

Une fois le rhizome extrait, il faut choisir la meilleure portion, c'est-à-dire celle qui est le plus apte à reprendre racine et à se développer.

C'est, en général, la partie âgée de deux ou trois ans. La pointe du rhizome, si elle a pu être extraite, n'est pas à conserver, car les bourgeons ne sont pas encore à maturité et le rhizome n'a pas les réserves suffisantes pour être bouturé.

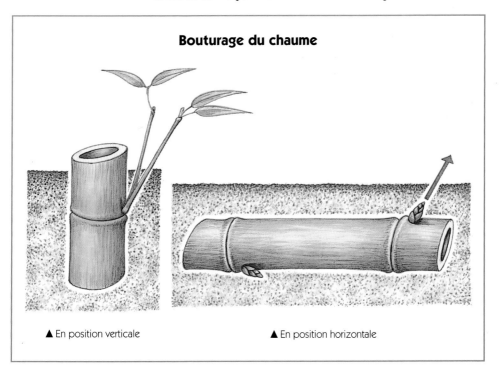

Bouturage du chaume

▲ En position verticale   ▲ En position horizontale

Il en sera de même pour les parties trop âgées : au-delà de quatre à cinq ans, les bourgeons sont sclérosés. La portion de rhizome jugée apte à la reproduction sera tronçonnée en éléments comportant au minimum trois nœuds. Chacun sera mis en terre en position horizontale ou légèrement oblique, les bourgeons pointant vers le haut à environ 15 cm sous terre. Comme pour toute bouture, il faudra, là aussi, prendre soin de l'arrosage.

La meilleure, pour ne pas dire la seule période favorable à cette multiplication par tronçons de rhizome, se situe de trente à quarante jours avant la sortie normale des pousses. C'est donc en fin d'hiver et au début du printemps qu'il faudra opérer pour la plupart des bambous tempérés.

▶ *Bambusa multiplex taillé en boule. Une seule taille par an suffit à maintenir la forme. Ce bambou est un des rares en Europe que l'on puisse multiplier par bouturage.*

La division de touffe

Surtout utilisée pour les bambous nains et pour les bambous cespiteux, la division de touffe peut néanmoins s'utiliser pour les autres types de bambous. C'est en quelque sorte la conjugaison des deux méthodes précédentes puisque sont prélevées en même temps portions de rhizomes et portions de tiges, l'ensemble étant solidaire.

La terre prélevée sous forme de motte est laissée adhérente aux racines. La partie aérienne est réduite par taille des branches et des chaumes pour limiter l'évaporation. L'éclat (c'est ainsi que l'on nomme la partie prélevée) est replanté sans tarder et copieusement arrosé pour que l'ensemble prenne bien place dans le sol.

Parasites et maladies

Il est bien rare de devoir intervenir dans son jardin sur un bambou parasité ou porteur de maladies. Il est bon cependant de connaître ses principaux agresseurs, même s'ils ne mettent pas en danger la survie de la plante.

Les pucerons

Plusieurs types de pucerons peuvent se rencontrer sur les jeunes pousses et sur les rameaux feuillés. Le principal inconvénient de leur présence réside dans le développement de la fumagine, un champignon qui se développe sur le miellat des pucerons et forme une pellicule noire inesthétique.

Les acariens

Il existe un acarien assez spécifique du bambou. On le reconnaît à la présence de taches rectangulaires décolorées à la surface des feuilles. Sur la face inférieure, on peut, à l'œil nu ou, mieux, à la loupe, observer les toiles tissées par ces acariens ainsi que les œufs et les formes mobiles. Le développement des plantes parasitées ne semble pas en souffrir outre mesure. D'autres acariens, rouges ou jaunes, se rencontrent surtout si l'air est trop sec. Les feuilles se décolorent et la plante cesse son développement. Il est nécessaire d'avoir recours à un acaricide pour se débarrasser de ces hôtes néfastes.

Les cochenilles

Ce sont surtout les cochenilles farineuses qui choisissent les bambous à gaines persistantes et s'abritent entre elles et le chaume, de préférence au départ d'une ramification.

Les maladies

Citons simplement pour mémoire les rouilles, fusarioses, helmintosporioses… dont il n'est pas nécessaire de se préoccuper, car les dégâts qu'elles provoquent sont négligeables.

L'avortement des turions

Il n'est pas rare d'observer, lors de la sortie des jeunes pousses, l'arrêt de croissance de certaines d'entre elles.

◄ *Page de gauche.*
Cette jeune pousse n'arrivera pas à maturité. Ce phénomène provient du fait que la plante ne dispose pas de suffisamment de réserves pour alimenter toutes les pousses. La nature fait des choix : les turions privilégiés se développent, les défavorisés avortent.

Le bambou
des gourmets

● *Le bambou est un légume diététique à forte teneur en fibres et en minéraux et à faible apport calorique.*

Les pousses de bambou sont appréciées pour leur consistance ferme et craquante et pour leur saveur délicate. Elles constituent un légume de base qui peut être accommodé de maintes façons, en salade, en sauce, en gratin, en accompagnement de viande ou de poisson et même en dessert.

◀ *Page de gauche. Jeunes pousses de* Sasa *commestibles.*

▼ *En Chine, préparation des pousses de bambous* (Phyllostachys pubescens) *pour la mise en conserve.*

La composition du bambou

Le bambou n'a pas (encore) sa place dans la cuisine occidentale, et c'est bien dommage. À cela il y a probablement deux raisons : la première tient à l'introduction relativement récente des bambous en Europe (1827 pour le premier plant). Il faut penser que la pomme de terre ne fut consommée en France que deux cent quarante-cinq ans après son introduction en Europe.

La pousse de bambou contient 3 % de protéines, 2,5 % d'hydrates de carbone, 0,5 % de lipides ainsi que du germanium, auquel on attribue des effets bénéfiques contre le

vieillissement. Peut-être est-ce grâce au bambou dont ils sont très friands que les Japonais détiennent le record de longévité? La seconde raison tient à la qualité des produits offerts sur le marché occidental : les pousses de bambou en boîte n'ont rien à voir avec les pousses fraîches, et ces dernières – lorsqu'on en trouve – viennent souvent de loin et sont généralement éprouvées par le voyage.

La seule solution pour faire découvrir ce délicieux légume aux palais européens est de développer chez nous des cultures en vue de l'approvisionnement en produits frais. La bambouseraie de Prafrance s'y emploie en commercialisant directement des pousses fraîches mais aussi des jeunes plants pour ceux qui seraient tentés par cette culture productive.

La culture pour la production de pousses fraîches

Les jeunes plants sont mis en place à raison d'un plant pour 9 à 12 m². Les soins à la plantation et l'entretien sont identiques à ceux apportés en ornement.

La première récolte pourra commencer lorsque les turions seront suffisamment gros. Cela dépendra de la variété, des conditions locales et des soins apportés. On ne doit guère espérer récolter avant la cinquième année.

Alors qu'en utilisation ornementale l'objectif est d'avoir sur le terrain une densité importante de chaumes et de feuillages, pour la production de pousses, la densité est beaucoup plus réduite : un chaume pour 10 m² pour des bambous géants et un chaume pour 4 m² pour des bambous moyens.

La récolte des pousses

La récolte doit se faire de préférence le matin. Le turion doit être sectionné sous terre pour profiter de toute la partie tendre et charnue qui s'y trouve. Il faut, dès les premières sorties de pousses, prélever tous les turions dès qu'ils pointent entre 5 et 15 cm au-dessus du sol. Au moyen d'une pioche ou d'une bêche à lame très étroite, la terre sera dégagée autour du turion à prélever de façon à repérer dans quelle direction il se relie au rhizome. Car c'est de ce côté-là qu'il faudra, d'un coup de pioche ou de bêche, sectionner la base du

Le merci du Japonais

Lors de la récolte des jeunes pousses, les Japonais ont pour habitude de remercier la plante qui leur prodigue cette merveille en versant, au fond du trou laissé par le turion prélevé et avant de le reboucher, une poignée d'engrais. Geste chargé de symbole, mais pas totalement désintéressé, car la plante en profite et la récolte s'en ressentira l'année suivante.

▲ *Récolte de jeunes pousses de* Phyllostachys pubescens *en Chine.*

turion. Avant la cueillette, il est utile de bien affûter les outils de façon à faire une coupe franche et nette. Comme un chercheur de champignons, le ramasseur repassera tous les jours ou tous les deux jours. Deux ou trois semaines après la première récolte, il faudra laisser en place certains turions à raison d'un tous les 20 m^2 pour des bambous moyens et un tous les 50 m^2 pour les géants en privilégiant les zones les plus dégagées. Ces turions deviendront des chaumes mères qui devront rester au moins cinq ans.

Les différences entre bambous tropicaux et bambous tempérés

Bien que n'exigeant pas les mêmes conditions climatiques, certaines régions à hiver doux peuvent accueillir ces deux types de bambous. L'avantage pour le consommateur est de pouvoir déguster des pousses fraîches plus de six mois de l'année. Les tempérés sortent au printemps ou au début de l'été et les tropicaux en été ou au début de l'automne. Pour la récolte, il est recommandé de reboucher les trous après avoir extrait les turions des espèces tempérées et, au contraire, de laisser béants pendant quelques jours ceux des tropicaux.

Omelette aux pousses de bambou

Après avoir fait bouillir les pousses, couper la partie tendre en lamelles. Faire revenir ces dernières dans une poêle avec du beurre ou de l'huile d'olive. Lorsqu'elles ont commencé à blondir, verser dans la poêle les œufs battus en omelette, qui auront été au préalable assaisonnés : sel, poivre, sauce au soja, aromates… Servir bien chaud.

La préparation des pousses fraîches

Une fois récoltées, les pousses doivent être conservées au froid si elles ne peuvent être cuites le jour même. Avant toute préparation, il est conseillé de faire bouillir les pousses dans de l'eau légèrement sucrée pour éliminer l'astringence. La durée d'ébullition dépendra du volume des pousses par rapport à l'eau. Moins il y a d'eau, plus il faudra de temps. Si les pousses sont entières et encore habillées de leurs gaines, il faudra laisser bouillir plus longtemps que si elles sont parées et coupées en morceaux.

Après avoir égoutté les pousses et ôté les gaines coriaces, la partie tendre sera préparée selon les recettes traditionnelles ou originales.

▼ *Les pousses de bambou coupées en long peuvent être farcies avant de gratiner au four.*

Le bambou : un matériau utile

On ne peut parler du bambou sans évoquer les multiples utilisations dont il fait l'objet. Il n'est pas question de toutes les citer. David Farrelly rapporte que Hans Sporry en 1903 avait dénombré 1 043 usages du bambou seulement au Japon, auxquels il fallait encore ajouter 498 utilisations à des fins décoratives. Il n'existe pas sur terre d'autre plante dont on puisse tirer autant de ressouces. Pourtant, l'Europe sut bien s'en passer puisque son introduction toute récente ne date que du siècle dernier.

*◀ Page de gauche.
Le chaume éclaté en lamelles est ensuite tissé pour constituer la cloison d'une maison.*

▼ Nettoyage de tronçons de chaume en Indonésie.

Soulignons l'intérêt du bambou pour l'utilisation des tronçons servant pour le jardin.

● Tuteurs, pergolas, barrières…

● Palissades : toutes sortes d'assemblages du bambou sont possibles pour réaliser de superbes palissades. Les Japonais excellent dans l'art de la palissade en bambou. les chaumes sont utilisés entiers ou refendus en deux ou en lamelles. Souvent les extrémités branchues sont associées.

▲ *Vanneries à base de bambous.*

● Pour conduire l'eau. Le bambou utilisé sous forme de tuyau sera préalablement désoperculé. À l'aide d'un tronçon de plus faible diamètre ou d'une tige métallique (fer à béton par exemple), les cloisons internes des nœuds sont éclatées les unes après les autres, les tronçons sont ensuite emboîtés ou manchonnés.

● Comme mobilier de jardin. Un banc fixe sur quatre piquets de bambou peut être construit par un bricoleur habile en une ou deux heures.

● Le *shishi odoshi*, utilisé traditionnellement en Asie pour éloigner les bêtes sauvages mais aussi comme élément décoratif du jardin, est constitué d'un tronçon de bambou en équilibre sur un axe. Un mince filet d'eau remplit une moitié du tronçon et le fait basculer. En reprenant sa position, le bambou vient heurter une pierre. C'est le bruit qui est supposé effaroucher les animaux.

Il peut être nécessaire de courber un chaume pour l'utilisation artisanale. Il faut alors procéder à chaud sur un tronçon vert. La partie destinée à être courbée sera chauffée sur un lit de braises ou à l'aide d'un chalumeau, puis cintrée en force et maintenue temporairement ainsi soit par calage soit à l'aide d'un fil sous-tendant l'arc.

L'assemblage des tronçons de bambou utilise une technique

particulière qui s'appuie surtout sur les ligatures, les percements et les chevillages. Les clous sont à proscrire car ils font éclater les fibres en pénétrant.

L'extrême solidité de la fibre de bambou ($3\,500\,kg/cm^2$) a permis de la comparer à l'acier. Associé à de nouvelles technologies, le bambou fait son entrée dans l'industrie et permet d'obtenir des produits performants (rayonne, béton armé, structures lamellées collées, parquets, pâte à papier...).
N'oublions pas que la première ampoule électrique conçue en 1884 par Thomas Edison a fonctionné grâce à un filament en bambou. Pour terminer sur une superbe leçon d'optimisme, il faut savoir que Thomas Edison avait fait plus de mille essais infructueux avant de découvrir le bambou.
À un journaliste qui lui demandait s'il ne s'était pas découragé après tant d'échecs il répondit : «Je n'ai pas échoué, j'ai découvert mille façons de ne pas inventer l'ampoule électrique.»

▶ *Ampoule à filament de bambou conçue par Thomas Edison.*

Les espèces

BAMBOUS NAINS

Arundinaria auricoma

Synonymes : *Arundinaria viridistriata, Pleioblastus viridistriatus, Pleioblastus auricoma.*

Hauteur : de 3 cm à 1,5 m.

Résistance au froid : très bonne avec cependant chute des feuilles par très grand froid.

Caractéristiques : feuillage panaché jaune et vert, très décoratif, particulièrement au printemps et début d'été. Les feuilles couvertes d'un fin duvet ont un contact velouté.

Exigences : il n'est pas toujours facile de trouver l'emplacement idéal. Trop au soleil, les feuilles risquent de griller en été et, trop à l'ombre, le jaune est moins lumineux.

Utilisations : bordure, massif, sous-bois, pot ou jardinière.

C'était le bambou préféré du professeur Koishiro Ueda, trésor vivant du bambou au Japon.

Arundinaria disticha

Synonymes : *Arundinaria argenteostriata* cv. Disticha, *Pleioblastus distichus, Pleio-*

blastus argenteostriatus cv. Distichus.

Hauteur : peut atteindre jusqu'à 1 m mais il est préférable de tailler court.

Résistance au froid : bonne.

Caractéristiques : port ramassé sur des plantes en pots ou récemment plantées en pleine terre. Relativement traçant, il permet de faire un couvre-sol dense et régulier. Ses petites feuilles vert brillant, régulièrement disposées de part et d'autre de la brindille, évoquent une feuille de palmier.

Exigences : convient à toutes situations. Il reste plus compact au soleil qu'à l'ombre où il peut avoir tendance à s'étioler s'il est dans un terrain trop fertile.

Utilisations : couvre-sol, bordure, rocaille, pot, jardinière.

Conseil : ne pas hésiter à tondre une ou deux fois par an en mars et éventuellement fin juin, début juillet.

Arundinaria fortunei

Synonymes : *Arundinaria variegata, Pleioblastus fortunei, Pleioblastus fortunei* cv. Variegata.

Hauteur : de 20 cm jusqu'à 1 m.

Résistance au froid : bonne à très bonne.

Caractéristiques : feuilles longues panachées longitudinalement de blanc crème.

Exigences : tout type de sol et d'exposition. À l'ombre, la panachure du feuillage a tendance à s'estomper et les chaumes, si le terrain est riche, risquent de s'étioler.

Utilisations : rocaille, talus, bordure, petit massif taillé, jardinière.

Arundinaria pumila

Synonymes : *Pleioblastus pumilus, Sasa pumila*

Hauteur : peut à l'ombre et en bon terrain dépasser 1 m.

Résistance au froid : très bonne.

Caractéristiques : feuillage vert foncé, souple et ondoyant sous l'effet du vent.

Exigences : se plaît en toutes situations.

Utilisations : couvre-sol, sous-bois, bordure, massif, talus, pot ou jardinière.

Arundinaria vagans

Synonymes : *Pleioblastus viridistriatus* 'Vagans', *Sasa ramosa.*

Hauteur : maximum 1 m.

Résistance au froid : très bonne.

Caractéristiques : feuillage vert clair, les limbes se marginent de blanc crème en hiver.

Exigences : se plaît en toutes situations. Ne craint pas du tout le plein soleil ni la sécheresse une fois bien installé.

Page de gauche.
Arundinaria auricoma.

Arundinaria chino 'Angustifolia'.

Utilisations : couvre-sol, sous-bois, talus, bordure, jardinière.

Sasa masamuneana 'Albostriata'

Synonymes : *Sasaella glabra* 'Albostriata', *Sasinaria masamuneana* 'Albostriata'.
Hauteur : 1 m à 1,50 m.
Résistance au froid : bonne à très bonne.
Caractéristiques : feuille de taille moyenne verte plus ou moins panachée de blanc crème. La panachure est exacerbée par le soleil.
Exigences : résiste très bien à la sécheresse une fois bien installé.
Utilisations : couvre-sol, sous-bois, massif, jardinière, pot.

Shibataea kumasaca

Synonyme : *Sasa ruscifolia*.
Résistance au froid : très bonne.
Hauteur : 0,50 à 1,50 m.
Caractéristiques : chaumes dressés et branches courtes couvertes de feuilles larges à la base. Ressemble au petit houx (= *Ruscus*, d'où le nom *Sasa ruscifolia*). La densité du feuillage ne laisse pas apparaître les chaumes.
Exigences : c'est l'aspect compact et dense qui fait l'attrait de ce bambou, il faut donc éviter de le planter trop à l'ombre en terrain riche si on veut garder cet attrait. Réagit très bien à la taille.
Utilisations : bordure, petite haie libre ou taillée, couvre-sol, massif. En pot ou jardinière il faut un important volume de terre pour qu'il se plaise.

PETITS BAMBOUS

Arundinaria chino 'Angustifolia'

Synonymes : *Arundinaria chino* 'Elegantissima', *Pleioblastus chino* 'Elegantissimus'.
Hauteur : 1 à 3 m.
Caractéristiques : feuillage très panaché de blanc-crème, rhizomes peu traçants.

Exigences : s'adapte à toutes situations.
Utilisations : pot, jardinière, touffe isolée, haie libre ou taillée.
Ce magnifique bambou mériterait d'être mieux connu.

Fargesia nitida

Synonymes : *Arundinaria nitida, Sinarundinaria nitida, Thamnocalamus nitidus.*
Hauteur : 2 à 4 m.
Résistance au froid : très bonne.
Caractéristiques : cespiteux. Les chaumes les plus âgés se courbent sous le poids du feuillage. Les chaumes sont plus ou moins colorés selon les cultivars.
Exigences : craint la canicule et le plein soleil.
Utilisations : touffe isolée, haie, jardinière.

Hibanobambusa tranquillans

Synonymes : *Phyllosasa tranquillans.*
Hauteur : 2 à 3 m (peut dans de bonnes conditions culminer à 4 ou 5 m).
Résistance au froid : très bonne.
Caractéristiques : c'est un hybride de *Phyllostachys* et de *Sasa*, d'où le nom du genre parfois utilisé de *Phyllosasa*. On peut dire qu'il a le chaume rectiligne du *Phyllostachys* et la feuille large du *Sasa*.
Exigences : semble convenir à toutes situations, même froides ou exposées à la sécheresse.
Utilisations : touffe isolée, haie, jardinière.

Hibanobambusa tranquillans 'Shirosshima'

Synonymes : *Phyllosasa tranquillans* 'Shiroshima'.

Hauteur : 2 à 3 m.
Résistance au froid : très bonne.
Caractéristiques : semblable à l'espèce type avec cependant une croissance moins vigoureuse et des feuilles superbement panachées.
Exigences : tout type de sol.
Utilisations : touffe isolée, haie, jardinière.

Sasa tessellata

Synonymes : *Indocalamus tessellatus, Arundinaria Ragamowskii.*
Hauteur : 1,5 à 2 m.
Résistance au froid : très bonne
Caractéristiques : longues feuilles pouvant dépasser 50 cm, vert foncé lustré sur la face supérieure. Caractère exotique très marqué.
Exigences : se plaît en toutes situations.
Utilisations : massif, jardinière, sous-bois, haie basse. *Ses larges feuilles sont très utilisées dans la cuisine japonaise pour envelopper des aliments (viandes, poissons ou autres) et les faire cuire pour ainsi dire en papillote.*

Sasa tsuboiana

Hauteur : 1,5 à 2 m.
Résistance au froid : très bonne.
Caractéristiques : forme généreuse et régulière des massifs. La tendance à s'étendre en surface est facile à maîtriser sur une pelouse ; le passage régulier de la tondeuse en bordure des touffes suffit.
Exigences : rien de particulier.
Utilisations : touffe isolée, massif, bordure, sous-bois.

Sasa veitchii

Synonymes : *Sasa albomarginata*
Hauteur : jusqu'à 1,5 m.

Résistance au froid : très bonne
Caractéristiques : feuilles larges parcheminées vert brillant au printemps et en été, superbement marginées de blanc crème en fin d'automne et en hiver.
Exigences : apprécie les sols frais et bien drainés.
Utilisations : massif, haie, bordure, sous-bois, touffe isolée.

BAMBOUS MOYENS

Bambusa multiplex 'Golden Goddess'

Hauteur : sous nos climats dépasse rarement 4 m mais bien davantage sous les tropiques.
Résistance au froid : moyenne. La plante doit être protégée si la température tombe au-dessous de -9 °C.
Caractéristiques : bambou cespiteux d'origine tropicale, port retombant des rameaux feuillés, gracieux et très décoratifs.
Exigences : situation abritée, pousse très bien en intérieur

s'il dispose de suffisamment de lumière et d'humidité.
Utilisations : intérieur, véranda, haie en touffe isolée dans zone à climat tempéré à hiver doux, pot, jardinière.

Phyllostachys arcana 'Luteosulcata'

Hauteur : 6 à 8 m.
Résistance au froid : bonne à très bonne.
Caractéristiques : le sillon internodal jaune très lumineux tranche nettement sur le vert plus ou moins sombre du chaume. C'est l'élément décoratif majeur de ce très beau bambou.
Exigences : supporte bien le soleil mais les chaumes exposés à mi-ombre sont plus contrastés.
Utilisations : massif, haie.

Phyllostachys aurea

Hauteur : 6 à 9 m.
Résistance au froid : bonne avec cependant par vent froid et sec dégâts sur le feuillage.
Caractéristiques : certains chaumes présentent dans la

Sasa tessellata.

partie inférieure une zone où les entrenœuds sont comprimés de façon plus ou moins régulière. Les chaumes sont droits, densément pourvus d'un feuillage vert clair.

Exigences : se plaît en toutes conditions.

Utilisations : haie libre ou taillée, bac, jardinière, touffe isolée.

Remarque :
C'est probablement le bambou le plus répandu chez nous. Les cultivars : *Ph. aurea* 'Holochrysa' à chaume jaune, ou *Ph. aurea* 'Koï', *Ph. aurea* 'Flavescens-inversa' à chaume jaune et vert, sont plus décoratifs que le type sans être plus exigeants.

Phyllostachys aureosulcata 'Spectabilis'

Hauteur : 5 à 7 m.
Résistance au froid : très bonne.
Caractéristiques : chaumes jaunes aux entre-nœuds alternativement striés de vert (au niveau du sillon). Les jeunes chaumes au printemps se teintent de pourpre au soleil.
Exigences : abriter du vent fort la première année.
Utilisations : haie, massif, touffe isolée, pot, jardinière.

Phyllostachys flexuosa

Hauteur : 6 à 8 m.
Résistance au froid : très bonne.
Caractéristiques : chaumes vert tendre à l'ombre et jaunes au soleil. Feuillage gracieux. Résiste bien au calcaire et aux conditions salines.
Exigences : très robuste, il s'adapte à tout type de sol et d'exposition.
Utilisations : très souple d'utilisation, il peut être taillé ou pousser librement en haie, massif, jardinière.

À conseiller vivement car la floraison récente de ce bambou permet de penser qu'il n'y a rien à redouter de ce côté-là pour de longues années.

Phyllostachys nigra

Hauteur : 6 à 8 m.
Résistance au froid : bonne avec cependant une sensibilité du feuillage au vent froid et sec.
Caractéristiques : les chaumes verts la première année noircissent en vieillissant pour devenir s'ils sont suffisamment éclairés couleur ébène. C'est dans la couleur de leurs chaumes que réside leur principal attrait.
Exigences : supporte mieux que la plupart des autres bambous les terrains mal drainés (ce qui ne veut pas dire qu'il les affectionne). À abriter du vent. L'intensité de la couleur noire des chaumes sera plus marquée côté sud.
Utilisations : touffe isolée, haie, jardinière.

Phyllostachys rubromarginata

Hauteur : 6 à 8 m.
Résistance au froid : bonne.
Caractéristiques : feuilles relativement larges pour un *Phyllostachys*, les chaumes verts à l'ombre jaunissent au soleil avec des teintes orangées très décoratives.
Exigences : supporte bien le vent.
Utilisations : touffe isolée, haie, bosquet.

BAMBOUS GÉANTS

Phyllostachys bambusoides 'Castillonis'

Hauteur : 8 à 10 m.
Résistance au froid : bonne avec cependant quelques

réserves, car les jeunes pousses sorties tardivement n'ont pas toujours le temps de s'aoûter avant le froid.
Caractéristiques : chaumes jaune d'or striés de vert, très décoratifs. Le feuillage est vert avec parfois une feuille isolée finement striée de blanc crème.
Exigences : apprécie les terrains fertiles et frais, à abriter du vent, surtout les premières années.
Utilisations : touffe isolée, bosquet, haie.

Phyllostachys bambusoides 'Holochrysa'

Synonymes : *Phyllostachys bambusoïdes* 'All Gold' *Phyllostachys bambusoïdes* 'Sulfurea'
Hauteur : 8 à 12 m.
Résistance au froid : bonne.
Caractéristiques : le chaume est totalement jaune, très lumineux, particulièrement décoratif.
Exigences : apprécie les situations abritées.
Utilisations : touffe isolée, bosquet, grande jardinière.

Phyllostachys nigra 'Boryana'

Hauteur : 12 à 18 m.
Résistance au froid : très bonne.
Caractéristiques : feuillage vert foncé, chaumes vert plus ou moins bleuté tachetés de marron selon l'âge et l'exposition au soleil. Cette diversité d'aspect des chaumes constitue un élément décoratif intéressant.
Utilisations : touffe isolée, bosquet.

Page de droite.
Phyllostachys aureosulcata
'Spectabilis'.

Phyllostachys pubescens

Synonymes : *Phyllostachys edulis*

Hauteur : peut atteindre, dans de très bonnes conditions comme à Anduze, 25 m de hauteur.

Résistance au froid : bonne pour des plants bien installés.

Caractéristiques : le plus imposant et à la fois le plus majestueux des bambous rustiques sous climat tempéré, feuilles petites et très nombreuses (Houzeau de Lehaie en a dénombré plus de 100000 sur un seul chaume).

Exigences : nécessité de bonnes conditions de sol, climat, fertilisation, eau pour atteindre sa plénitude.

Utilisations : bosquet, voire forêt, pousses comestibles très appréciées.

Phyllostachys viridiglaucescens

Hauteur : 5 à 12 m.

Résistance au froid : très bonne.

Caractéristiques : les chaumes vert foncé brillants sont très droits. Sortie des pousses précoce (Avril).

Exigences : peu délicat dans l'ensemble, il ne parvient à une grande taille qu'en bonnes conditions de sol et de climat.

Utilisations : haie, bosquet, brise-vent, jardinière.

Phyllostachys viridis

Synonyme : *Phyllostachys mitis*.

Hauteur : 12 à 16 m

Résistance au froid : bonne.

Caractéristiques : chaumes verts légèrement sinueux. La sortie des pousses est assez tardive (fin mai-début juin). Le cultivar *Ph. viridis* 'Youngii' (= *Ph. viridis* 'Sulfurea') développe des jeunes pousses vert pistache qui deviennent jaune vif en vieillissant. Très décoratif.

Exigences : se plaît en terrain argileux à condition d'être bien drainé.

Utilisations : touffe isolée, bosquet.

L'association de l'espèce type avec le cultivar 'Robert Young' produit toujours un effet intéressant.

Phyllostachys violascens

Synonymes : *Phyllostachys bambusoïdes* 'Violascens'

Hauteur : 12 à 15 m.

Résistance au froid : bonne mais il peut craindre les gelées tardives sur les jeunes pousses dont la sortie est précoce.

Caractéristiques : les chaumes sont, selon leur âge, très diversement colorés de stries longitudinales. Les branches sont relativement courtes.

Exigences : tenir si possible à l'abri des gelées de printemps.

Utilisations : touffe isolée, haie, bosquet.

Page de droite.
Phyllostachys viridis 'Youngii'.
Ci-dessous.
Phyllostachys viridiglaucescens.

Index

Crédits photographiques

Toutes les photographies sont de l'auteur
sauf p. 30, p. 63 (Les jardins d'ombre et lumière), p. 69, p. 88-89, p. 92 : Ch.Hochet/Rustica.

Photographies de couverture :
p. 1, Ch. Hochet/D.E.F.; p. 4, N. Cousin.

Dessins : Joël Bordier

Ouvrage réalisé avec la collaboration de Carole Hardoüin
Maquette et mise en pages :
Paul-Raymond Cohen et Sebastian Mendoza

Achevé d'imprimer par PPO Graphic, 93500 Pantin
en avril 2000